Cassis, 1906, 22 × 27 cm.
Cassis

MANGUIN in AMERICA

Henri MANGUIN
1874–1949

Published by
THE UNIVERSITY OF ARIZONA MUSEUM OF ART
TUCSON, ARIZONA
1974

The First Retrospective Exhibition held in America of
Paintings, Watercolors and Drawings by Henri Manguin.

La Première Exposition Rétrospective en Amérique des
Tableaux, Aquarelles et Dessins de Henri Manguin.

À MADAME LUCILE MANGUIN EN HOMMAGE

Contents
Table des Matières

Introduction **11**
Introduction

Henri Manguin **39**
Henri Manguin

Illustrations **63**
Illustrations

Catalogue **157**
Catalogue

Biography **195**
Biographie

Acknowledgments **201**
Remerciements

Bibliography **207**
Bibliographie

Introduction
Introduction

Henri and Jeanne Manguin 1900
Henri et Jeanne Manguin 1900

Only in the last few years has Manguin's art become publicly visible. When he died in 1949, very few of his paintings hung on museum walls. A part of his enormous output was hidden away in the homes of collectors, while the bulk of his paintings, drawings and pastels were stacked or piled up in his inaccessible studios. For years he hated and refused to exhibit; he even hated to sell the slightest drawings.

He worked constantly, now and then finding an idea in a carefully guarded sketch or suddenly deciding to scrape out and repaint a passage in some canvas half a century old. Although Manguin and his wife, Jeanne, were gregarious, only a few intimates penetrated into his studio, where lay cluttered the art of a lifetime. That Manguin's artistic abilities emerged is somewhat surprising, for his environment seemed definitely foreign, if not hostile.

Henri Manguin was born in Paris in 1874 of upper class parents, into the very midst of old-fashioned conservatism, good taste, and prejudice. His father was most respectable, but died at the age of 50 when Henri was only six years old. The strains of his parents, meeting in Henri, helped to warm the typical coldness and diminish the reserve of the French bourgeois mind. Dutifully Henri passed through the conventional Lycée Colbert. In notebooks, along with worthy maxims and lists of readings to improve the mind, he incessantly sketched his dreams and figures in profile. He had a recurrent dream of his own—to be an artist. After several years he succeeded in convincing his mother that he was right, leaving school at 15 to devote his life to painting.

In November 1894 he entered l'Ecole des Beaux-Arts, in the studio of Gustave Moreau. Although l'Ecole des Beaux-Arts in the 1890's was regarded as a citadel of prejudice, it nevertheless offered to students resources far beyond the means of any individual student—studios, a famous collection

Ce n'est que durant les dernières années que l'art de Manguin vient d'être révélé au publique. Au moment de sa mort en 1949, il y avait très peu de ses tableaux exposés aux murs de musées. Une partie de sa production énorme restait cachée chez les collectionneurs, tandis que la plupart de ses peintures, ses dessins et ses pastels restaient entassés ou amassés dans ses ateliers inaccessibles. Pendant des années il détestait et aussi refusait d'exposer ses œuvres; il détestait même vendre ses dessins de la moindre importance.

Il travailla sans cesse, quelquefois découvrant une idée dans une esquisse bien soignée, ou tout-à-coup se décidant d'érafler et de repeindre quelque passage d'une toile agée d'un demi-siècle. Quoique Manguin et sa femme, Jeanne furent sociables, il n'y avait qu'un petit nombre des intimes qui pénétraient dans son atelier, ou se comblait l'art de toute sa vie. On est même surpris du fait que le talent pour l'art de Manguin s'est dégagé, car ses environs semblaient être tout-à-fait ètrangers, si non hostiles.

Henri Manguin est né a Paris en 1874 de parents de classe élevée. Il se trouva au centre du vieux conservatisme, de bon goût, et de préjudice. Son père était un être fort respectable, mais il mourrut à l'âge de 50 ans, quand Henri n'avait que six ans. Les traits de ses parents, se recontrant en Henri, l'ont aidé de réchauffer la froideur typique de la mentalité bourgeoise française et de diminuer sa contrainte. Avec soumission Henri a traversé le Lycée Colbert formaliste. Dans ses cahiers, au courant avec tous les dignes maximes et les listes de lectures à cultiver l'esprit, il s'est mis constamment à esquisser ses rêves et des figures de profil. Bien des fois il s'envisionnait—comme artiste. Dès quelques années, il réussit à convaincre sa mère qu'il avait raison, et il quitta l'école à l'âge de 15 ans pour se livrer à la peinture.

Au mois de novembre, 1894, il est entré à

of casts, a huge library, and perhaps most important of all, the company of other gifted people. Manguin was rejected as insufficiently qualified when he first applied for admission. Subsequently he took to sketching, along with Marquet, Rouault, Matisse, Evenpoel and Desvollière, in the school's glass-roofed courtyard, which contained copies of Europe's great art treasures.

Moreau, in his art and as a teacher, was indifferent to the modern world and chose instead to portray a world of pure fantasy; this tender attention he lavished on his students may have been a physical outlet he dared not otherwise express. Moreau was undoubtedly the first of the great modern art teachers, freeing the student to be himself. Within a brief six year span his classroom produced four painters who had much to do with the Fauve color revolution of 1905—Albert Marquet, Henri Manguin, Charles Camoin, and the Belgian painter, Henri Evenpoel.

Manguin never forgot his years with Moreau. In reflection his eyes would mist over at the mention of his name and he could draw an exact plan of the classroom from memory—who sat where, what the furniture was like, where the light fell, and so on. Of his fellow students who meant much to him, Albert Marquet was a loyal friend, one of the few people with whom he kept up a life-long correspondence.

Manguin was formed by Moreau at a time when most painters were still striving to portray Nature objectively. Moreau suggested that this was a waste of time. It was useless to hope for light effects that compared with Nature's. It was much better to imagine light and imagine color with such intensity that the observer would forget Nature and see only the artist's vision of the world.

Manguin came to know well Albert Marquet. Marquet's physical countenance set him apart from other boys and gave him a

l'Ecole des Beaux-Arts, à l'atelier de Gustave Moreau. Quoique l'Ecole des Beaux-Arts des années 1890 était considerée comme une citadelle du préjudice, néanmoins elle offra aux étudiants des ressources bien au-delà des propres deniers des étudiants individus—des ateliers, une collection renommée de moulages, une bibliothèque énorme, et, ce qui etait surtout important, l'association avec d'autres personnes de talent. Manguin fut refusé à cause de sa qualification insuffisante, la première fois qu'il s'adressa à l'Ecole. Par la suite, il s'est mis à esquisser, avec Marquet, Rouault, Matisse, Evenpoel et Desvollière, à la cour sous la verrière de l'Ecole, ou il y avait des copies des grands trésors de l'art européen.

Comme artiste et comme maître, Moreau était indifférent vers le monde moderne et il a choisi plutôt de dépeindre un monde tout-à-fait fantastique; les tendres soins qu'il prodigua vers ses élèves pourraient être expliqués comme quelque sortie physique qu'il n'osait pas exprimer autrement. Moreau fut sans doute le premier des grands maîtres de l'art moderne, dégageant un élève pour qu'il puisse devenir lui-même. Dans une période brève de six ans, son atelier a produit quatre peintres qui se sont beaucoup engagés avec la révolution de la couleur, le Fauve, de 1905—Albert Marquet, Henri Manguin, Charles Camoin et le peintre belge, Henri Evenpoel.

Manguin n'a jamais oublié ses années passées chez Moreau. En y réfléchissant, ses yeux se voilaient quand il entendait son nom, et de son souvenir il pouvait dessiner un plan exacte de la salle de classe—qui était là, et ou placé, quels était les meubles, d'ou est venu la lumière, etc. ... De ses condisciples auxquels il tenait beaucoup, Albert Marquet était son ami fidèle, un d'un petit nombre avec lesquels il a continué une correspondance pendant toute sa vie.

Manguin fut moulé par Moreau dans un

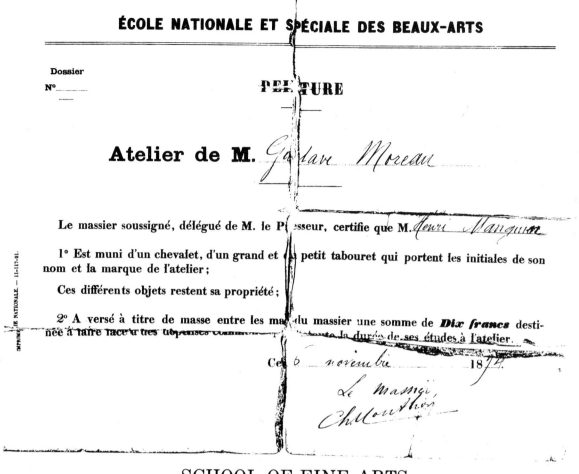

ÉCOLE NATIONALE ET SPÉCIALE DES BEAUX-ARTS

Dossier
N°_____

PEINTURE

Atelier de M. *Gustave Moreau*

Le massier soussigné, délégué de M. le Professeur, certifie que M. *Henri Manguin*

1° Est muni d'un chevalet, d'un grand et d'un petit tabouret qui portent les initiales de son nom et la marque de l'atelier;

Ces différents objets restent sa propriété;

2° A versé à titre de masse entre les mains du massier une somme de **Dix francs** destinée à faire face à des dépenses communes pendant toute la durée de ses études à l'atelier.

Ce *6 novembre* 18*94*

Le massier,

SCHOOL OF FINE ARTS

PAINTING

Studio of M. Gustave Moreau

The undersigned treasurer, delegated by the Professor, certifies that
M. Henri Manguin

1 ⁰ Is furnished with an easel, with a short and a tall stool carrying the initials of his name and the mark of the studio;

These various objects will remain his property;

2 ⁰ Has paid out of the common fund of the treasurer the sum of 10 FRANCS intended to account for expenses incurred during the entire duration of his studies in the studio.

the 6 of November, 1894

the Treasurer,

dreadful time in school. In self-defense he became solitary and withdrawn. As a boy he wandered lonely along the Bordeaux waterfront, sketching everything that caught his fancy. Throughout, he was a marvelous reporter of the French scene. Evenings Manguin and Marquet could be found along the streets of Paris, covering sheet after sheet of paper with little thumbnail sketches. To Manguin, whose philosophy of drawing was related exclusively to the sober, concentrated work of the schoolroom, these sketching excursions to the cafés, bars, and music halls, were invaluable. Manguin's finances always provided the cups of coffee, while Marquet made his cup go a very long way as they sat watching the city's night world, then at its most vivid, and while it eddied around them, put down on paper as much of it as they could.

Whenever Manguin left his bachelor studio at rue Bachelet, on the north side of Montmartre in the 18th arrondissement, it was either to attend classes at l'Ecole des Beaux-Arts or to go to the Louvre on one of his sketching promenades with Marquet. He had no spare time, in the conventional sense, and all his efforts were directed towards the two days of the week, Wednesday and Saturday, when Moreau corrected his students' work. Moreau was far from being a tyrant, but there was no nonsense about authority. When he entered the classroom, his appearance was far from imposing; nevertheless, when he appeared on correction day, wearing his skull cap and dirty white smock, his students were in no doubt about Moreau's ability to judge what was best for each and every one of them. When Moreau spoke, every student, genius or dullard, listened carefully. Unlike other members of the teaching hierarchy, Moreau never mentioned his own paintings. He scandalized other faculty members by telling his pupils to get out on the street and study real life; and by encouraging them to go and

temps quand la plupart des peintres essayaient encore à dépeindre objectivement la nature. Moreau a suggéré que comme ça on perdrait son temps. Il était inutile d'éspérer des effets de lumière qui se compareraient avec ceux de la nature. On ferait beaucoup mieux d'imaginer la lumière et d'imaginer aussi la couleur avec une telle intensité que l'observateur oublierait la nature et ne pourrait voir rien que la vision mondiale de l'artiste.

Manguin devint bon ami de Marquet. Le visage-même de Marquet l'a déplacé des autres élèves, et il lui a causé de fortes difficultés à l'Ecole. En se défendant, il devint solitaire et retiré. Jeune garçon, il se promenait seul le long des quais de Bordeaux, esquissant tout ce qu'il trouvait intéressant. Tout-le-temps, il décrivait merveilleusement la scène française. Pendant les soirées, Manguin et Marquet se trouvaient allongeant les rues de Paris, couvrant des tas de feuilles de petites esquisses. Pour Manguin, parceque sa philosophie du dessin se concentrait sur le travail sombre de la salle de classe, ces petites sorties pour esquisser dans les cafés, les cabarets et les music-halls étaient invalable. Manguin payait toujours les frais du café, tandisque Marquet savourait longtemps sa tasse de café, pendant qu'il restait là, observant la vie nocturnale de la grande ville, lorsqu'elle montait en couleurs les plus vives, et tandis que le monde tourbillonait autour d'eux, ils dessinaient autant de l'histoire que possible.

A n'importe quel moment qu'il a quitté son appartement célibataire dans la rue Bachelet du 18ème arrondissement au nord de Montmartre, il était parti ou pour assister aux cours à l'Ecole des Beaux-Arts, ou à visiter le Musée du Louvre comme il faisait quelque promenade d'esquisse avec Marquet. Il n'avait pas de temps disponible, en principe, et tous ses efforts furent dirigés vers les deux jours de la semaine, les mer-

Jeanne Manguin 1899
Jeanne Manguin 1899

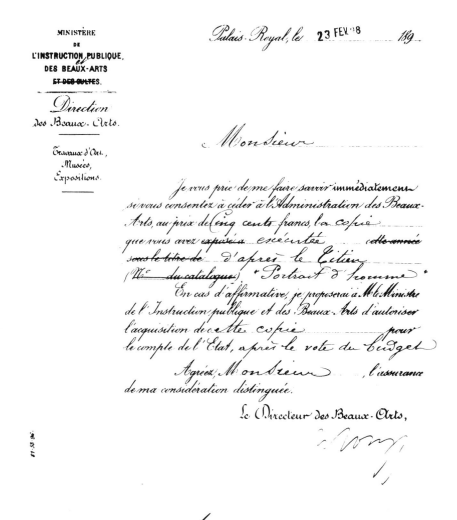

Palais Royal, February 23, 1898

Sir:

Please let me know immediately if you will consent to surrendering to the Administration of Fine Arts, at the price of five hundred francs, the copy done by you after Titian's "Portrait of a Man."

In the affirmative case, I will propose to the Minister of Public Instruction and of the Fine Arts the authorization of the acquisition of this copy on the State's account, after the vote on the new budget.

Accept, dear Sir, the assurance of my sincere esteem.

The Director of Fine Arts,

Monsieur Manguin

look at the new painters in the galleries. "Don't miss Cézanne at Vollard's on the rue Lafitte!" Manguin's young eyes, already enchanted with the magic of things, must have found those 150 canvases from the loner from Aix full of color and light he was to discover later for himself. A painter is not royally born to his role, but by a long series of approaches and investigations he comes into his own.

Manguin at twenty could scarcely have been taken for either a youthful prodigy or a rebel in the making. His initial attempts show his attachment to reality. Early paintings also saw his challenge of the human body, dressed and undressed. The dramatic face of light from high windows, the complexity, easels and canvas, and the presence of an occasional antique cast, Manguin did very well with all these things, putting them together in an easy but unconventional relationship. And he maneuvered with great skill between the flesh color of the model's body, the flat white of a plaster cast, here the whites and the tans of the canvases racked along the wall, the gray of the studio floor and the sharp white of the students' colors. But of Manguin, the revolutionary colorist, there was, as yet, no trace.

In the summer of 1896 Manguin went with his friend De Mathan to La Percaillerie at the tip of Cotentin. Confronted by their ravaged marine landscapes, these rocks and shores under grey skies, what did he keep of Gustave Moreau's teachings? (La Percaillerie, black and white, plate no. 2, page no. 68). He arrived later at the village of Pont-Aven in Brittany, once a favorite spot of Gauguin and his friends. In fact he even stayed at Gauguin's old headquarters, the Pension Gloanec. Gauguin had long returned to Tahiti when, believing he had discovered another Eden, he found himself immersed in misery, sickness and loneliness. His disciples, the Nabis, were little by little disassociating themselves, each following his own

credis et les samedis, quand Moreau avait l'habitude de corriger l'ouvrage des étudiants. Moreau ne s'exerçait pas-du-tout comme tyran, mais il s'autorizait sans blague. Toutes fois qu'il entrait dans la salle de classe, son aspect manquait beaucoup d'être impressionnant; néanmoins, quand il arrivait au jour de la critique, portant sa calotte et sa blouse blanche malpropre, ses étudiants ne doutaient jamais son pouvoir de juger ce qui serait bien à l'avantage pour chacun. Quand Moreau prenait la parole, chaque élève, ou doué ou abruti, l'écoutait bien. Peu ressemblant aux autres membres de l'hierarchie instructrice, Moreau ne faisait jamais allusion à ses propres tableaux. Il a scandalisé d'autres de la faculté en disant à ses élèves qu'ils devaient sortir dans les rues pour étudier la vie actuelle; et puis en les encourageant d'aller visiter les galeries pour y trouver les œuvres des nouveaux peintres. "Ne manquez pas d'observer les Cézannes chez Vollard dans la rue Lafitte!" Les yeux jeunes de Manguin, déja enchantés des choses magiques, auraient du trouver ces 150 toiles du solitaire d'Aix, brillantes de couleurs et de la lumière qu'il se découvrerait lui-même plus tard. Un peintre n'est pas destiné royalement à son rôle, mais grâce à quelque série longue d'approches et de recherches, il se trouve enfin.

A l'âge de vingt ans, on ne pourrait jamais considérer Manguin comme ni prodigue jeune ni futur insurgé. Ses efforts débutants révélent un attachement pour la réalité. Dans les tableaux de sa jeunesse, l'on voit aussi son incitation du corps humain, habillé ou nu. Le drame de la lumière venant des hautes fenêtres, la complexité, les chevalets et la toile, et puis un ancien moulage quelquefois inclus—Manguin a bien manié tout ça, les ajoutant les uns aux autres en rapport facile et original. Et puis il a très bien arrangé le rapport de la couleur chair du corps de modèle, avec le blanc plat.

Henri Manguin in his studio on the rue Saint James—Neuilly 1909
Henri Manguin à son atelier dans la rue Saint Jacques—Neuilly 1909

bent. Instead of being influenced by Gauguin's presence, Manguin went ahead patiently and quietly, as though Gauguin had never existed, working on the paintings he planned to submit to the Salon of the Société Nationale des Beaux-Arts for exhibit the following spring. Manguin first showed at the Société Nationale, and then from 1902 until the war, at the "Indépendants," of which he was a committee member. The same year Berthe Weill opened her gallery in the rue Victor-Massé and Manguin showed there too, just as he, several years later, put his works in the hands of Eugène Druet, Vollard and the Bernheim brothers. It was from here that he took part in the Salon d'Automne, 1904.

It took Manguin many tortuous years to develop his own style. Under Gustave Moreau's guidance he gained the fundamentals of drawing and composition; by examining Impressionist paintings he came to understand the intense feeling pure color could convey; from his study of Cézanne he learned that a painting must be solidly constructed. These revelations were the results of years of keen observation and endless experiments. Manguin copied museum works, experimented with different styles, and wrestled with Masters and Moderns. From this quest a new and vital art emerged—an art that appeared deceptively simple, but one that only a passionately dedicated man could have created.

Manguin, in 1899, could be thought to have gotten more than his fair share of the cream. He had an ideally stimulating teacher, he had been officially recognized as an artist, and had the support of people whose opinions mattered. Certain of his Louvre copies, Titian's "Portrait of a Man," Poussin's "Echo and Narcissus," Velasquez' "Infanta Maria Teresa"—were all bought by the Director of the Beaux-Arts for from 300 to 500 francs, gold, of course. These were happy times when the state buys copies of Old Masters from 25-year-old students.

d'un moulage, ici les blancs et hâles des toiles se rangeant contre le mur, le gris du plancher de l'atelier et le blanc tranchant des couleurs des élèves. Mais de Manguin, le coloriste révolutionnaire, on ne voyait encore une seule trace.

A l'arrivée de l'été de 1896, Manguin est parti avec son ami De Mathan à La Percaillerie au bout de Cotentin. Devant ces scènes marines dévastées, ces rochers et ces plages étalés sous les cieux gris, qu'est-ce qu'il a gardé des enseignements de Moreau? *(La Percaillerie,* blanc sur noir, plaque n⁰ 2, page n⁰ 68). Il est arrivé plus tard au village de Pont-Aven en Bretagne, autrefois un endroit favori de Gauguin et de ses amis. En fait il a même passé quelque temps à l'ancien quartier de Gauguin, la Pension Gloanec. Gauguin était depuis longtemps de retour à Tahiti, quand, croyant qu'il avait découvert encore un paradis terrestre, il se trouva plongé dans la misère, malade et délaissé. Ses disciples, les Nabis, se retiraient peu a peu, chacun suivant sa propre inclination. Au lieu de sentir l'influence de Gauguin chez lui, Manguin s'est avancé tranquillement et avec patience, comme si Gauguin n'aurait jamais existé, travaillant à exécuter les peintures qu'il voulait offrir pour exposition au Salon de la Société Nationale des Beaux-Arts, le printemps suivant. Manguin a exposé d'abord à la Société Nationale, et puis de l'année 1902 jusqu'au début de la guerre, chez les "Indépendants," desquels il fut membre de comité. Durant cette année-même, Berthe Weill a ouvert sa galerie dans la rue Victor-Massé, et Manguin a exposé là aussi, comme quelques années plus tard, il a confié ses œuvres aux soins d'Eugène Drouet, Vollard et les frères Bernheim. C'était d'ici qu'il a participé au Salon d'Automne de 1904.

Manguin a passé bien des années de supplice en développant son propre stil. Sous la direction de Gustave Moreau il a gagné le principe fondamental du dessin et de la composition; en étudiant les peintures impres-

In June of that same year, 1899, Manguin married Jeanne Carette, and moved from rue Bachelet to 61 rue Boursault, in Batignolles, with a garden that time never changed. *(Jardin, rue Boursault,* black and white plate no. 4, page no.70). From this moment on it is impossible to separate these two individuals. Jeanne was full of life, and Manguin's daily source of happiness. She was housekeeper, secretary, companion and model. With deep respect and obedience to the master, she satisfied his least desire with quiet efficiency. Three children were born of this union: Claude, Pierre and Lucile. It is Jeanne, who appears in his pictures early and late, more than anyone else, a woman of beautiful bodily proportions and peculiar grace, "fleeting and free," of which the great observer's eye would always catch a gesture, a movement, or an undulation in light. *(Jeanne à la fontaine,* black and white plate no. 11, page no. 77). Jeanne was always close to him, a fluttering young woman, and thus Manguin painted her, at her ablutions, or as a haunting presence, sometimes almost unnoticeable, in a corner, or partly beyond the frame, peering into the picture.

The life of Henri Manguin was extraordinarily private, with little dramatic incident, and no major changes of vocation or destiny from beginning to end, just as his life's work of painting has an essential continuity and homogeneity. Whatever he was, life was reduced to one purpose—Manguin's creativeness; everything was so arranged that his slightest desire, his slightest urge for expression, could be easily set in motion. To protect him, as many of the problems of life as possible were solved in advance, and his protective shield for disturbance and interruptions of daily life was always Jeanne, his wife.

Aside from his vocation of painting there were two sides to Manguin's life: the enthralled and responsible life-long marital re-

sionistes, il est arrivé à comprendre toute l'émotion que pourrait exprimer la couleur pure; de ses études de Cézanne, il apprenait qu'une peinture doit être construite solidement. Ces révélations étaient les fruits des années d'observation perçante et d'expériments innombrables. Manguin a copié des œuvres des musées, il a tenté maints stils différents, et il a lutté avec les anciens maîtres ainsi qu'avec les maîtres de l'art nouveau. De cette quête est sortie un art nouveau et vif—un art qui apparaissait trompeusement simple, quoiqu'un art qui n'aurait pas été créé que de la part d'un être passionnément dédié.

En 1899, on aurait pu considérer que Manguin avait obtenu plus que sa partie juste de la crème. Il étudiait chez un maître idéalement inspirateur, il était reconnu officiellement comme artiste, et il avait le concours des personnes d'appréciation importante. Certaines de ses copies du Musée du Louvre, "Portrait d'un Homme" de Titian, "Echo et Narcisse" de Poussin, "L'Infanta Maria Teresa" de Velasquez—furent tous achetés par le directeur des Beaux-Arts au prix de 300 à 500 francs, d'or, entendu. Ce temps-là était bien fortuné, quand l'état achetait des étudiants de 25 ans, des copies des maîtres anciens.

Au mois de juin de 1899, Manguin épousa Jeanne Carette, et puis il a déménagé de la rue Bachelet au N° 61 rue Boursault, Batignolles ou se trouvait un jardin éternel. *(Jardin, rue Boursault,* noir sur blanc, plaque n° 4, page n° 70). De ce moment, il n'est plus possible de les considérer comme individus séparés. Jeanne était vive, et elle était la source quotidienne du bonheur de Manguin. Elle était sa ménagère, sa secrétaire, sa compagne et son modèle. Des fonds de son respect et de son obéissance au maître, elle s'est mise à satisfaire son moindre désir avec une compétence tranquille. Ils sont devenus parents de trois enfants, Claude, Pierre et Lucile. C'est bien Jeanne que l'on

Palais Royal, June 6, 1899

Sir:

Please let me know immediately if you will consent to surrendering to the Administration of Fine Arts, at the price of 400 francs, the copy done by you after the "Portrait of a Young Woman" by Velasquez.

In the affirmative case, I will propose to the Minister of Public Instruction and of the Fine Arts the authorization of the acquisition of this copy on the State's account.

Accept, dear Sir, the assurance of my sincere esteem.

The Director of Fine Arts,

Monsieur Manguin

lationship, and a physical restlessness, which took him from place to place, sometimes abroad, but especially in France, with a true love of his native land in all its wonderfully differentiated parts. He always maintained a home base in Paris, but as his life went on, he spent more and more of the year near Saint-Tropez, at the Villa Demière. While he did not always work when he traveled, his eye for landscape never ceased to explore and accumulate pictorial material. Except for Marquet, whom he always loved and admired, his relations with fellow painters were mutually respectful, cordial in some cases, but not close. He was a listener rather than a talker and, perhaps because he preferred to paint rather than to theorize about painting, he retained the friendship of everyone in his circle. But however inarticulate he may have appeared at artist discussions, he clearly had a mind of his own.

Manguin achieved an almost instantaneous success as a young painter in the '90's. After 1910, however, for various reasons, his art began to attract less and less critical appreciation and by 1920 he withdrew almost completely from public exhibitions, and showed only occasionally in the galleries.

About 1905 Manguin reached a crisis in his early career. Like many of his contemporaries he chose to stick close to the world he knew intimately—in this case his home, his wife, or if he went outdoors, the familiar parade of people in the parks and gardens of Paris. His choice of subject matter was in close relation to the Impressionists. Manguin may well have been influenced by the Impressionist approach to reality, but he added another dimension to his perception of it. He explored to his complete satisfaction the extreme possibilities of color, and having assembled his colors in a striking variety of orders, he proceeded to explore the mysterious possibilities of an infinite gradation

voit dans ses tableaux toujours, plus que toutes, une femme de belles proportions de corps et d'une grâce particulière, "éphémère et libre," de laquelle l'oeil du grand observateur a toujours aperçu un geste, un mouvement, ou une ondulation lumineuse. (Jeanne à la fontaine, noir sur blanc, plaque n° 11, page n° 77). Jeanne se tenait toujours près de lui, une jeune femme papillonante, et c'est comme ça que Manguin l'a dépeint, faisant ses ablutions, ou comme une présence hantante, quelquefois presque inaperçue, blottie dans un coin, ou peutêtre en partie hors du cadre, regardant la peinture.

La vie de Henri Manguin fut exceptionnellement privée, caracterisée de peu d'évènements dramatiques, et il n'y avait rien de changement de vocation, comme, justement, son œuvre de la peinture est essentiellement sans arrêt et homogène. Quoiqu'il était, sa vie était réduite à un seul but—la créativité de Manguin; tout fut arrangé pour que son moindre désir, sa moindre inspiration, pourrait s'activer facilement. Au but de sa protection, autant que possible des problèmes de la vie furent dénoués d'avance, et son bouclier défensif contre les ennuis ainsi que les interruptions de la vie quotidienne était toujours sa femme, Jeanne.

En dehors de son métier de la peinture, il y avait deux cotés de la vie de Manguin: l'enchantement du rapport d'un magnifique et responsable mariage de toute sa vie, et puis une agitation physique qui le menait d'un endroit à l'autre, quelquefois à l'étranger, mais surtout en France, accompagnée d'un amour fidéle à son pays en toutes ses parties variées. Il a toujours retenu sa demeure permanente à Paris, mais comme sa vie s'est avancée, il se trouva de plus en plus passant de longues visites à la Villa Demière près de St.-Tropez. Tandis qu'il n'a pas constamment travaillé en route, il ne cessait jamais d'explorer le paysage de

Jeanne Manguin in front of the studio on
rue Boursault

*Jeanne Manguin devant l'atelier dans
la rue Boursault*

Paris 29 Mars 1939

Monsieur le Directeur
Général des Beaux-Arts

Monsieur

Je suis très sensible à l'acquisition des 5 panneaux attribués au Musée de St Tropez et vous en remercie très vivement

Veuillez trouver ci-joint la formule datée et signée ainsi que le celle de virement

Vous priant de croire Monsieur le Directeur en l'assurance de ma considération très distinguée

H Manguin

Paris March 29, 1939

The General Director of Fine Arts

Sir:

I greatly appreciate the acquisition of the 5 panels allotted to the Museum of Saint-Tropez and thank you very deeply.

Please find herewith the form dated and signed, as well as my sincere wish that you accept, Monsieur the Director, the reassurance of my heart-felt esteem.

H. Manguin

of color hues to extract thereby the subtlest overtones, the essential perfume of intimate objects and activities in and about his home.

We have said that Manguin's success was almost immediate in the '90's, when his art reached an extraordinary degree of sophistication before he was thirty. His painting showed striking examples of the precociousness that was a characteristic of his fin-de-siècle period; and surely because he preferred to paint rather than to theorize.

One becomes conscious of a change in Manguin's work at the turn of the century. It is very gradual at first, and is closely associated with a change about the same time in his social life. His pictures reflect his new connections with a fashionable world as opposed to the old life of café discussions, literary inspiration and the close, germinal atmosphere of his own private existence at home.

He now had official dealer connections and through them he was introduced to what must have appeared to him at first as a rather superficial company of friends, many of them, presumably, and intentionally, prospective clients. This was a period of reduced tension, which is often charming. His looser brushwork, and more obvious color arrangements often resulted in a delightful, even gay picture, which is far removed from his early exquisite, brooding harmonies. The intimacy of the subject has given place to a picturesque display of technical virtuosity.

The expansion of Manguin's social contacts was partly responsible for his leaving Paris during the summers and spending them with his new friends in Saint-Tropez. The result was a vacation-like enjoyment of landscape and an attempt to record his impressions of the country and the sea. At first he could not adjust his intimate genius to an unknown territory, these views of the fields and the harbor were often conventional and unexciting; the landscape beyond his favorite Batignolles, and the parks of

son œil d'artiste et de s'entasser des matériaux pittoresques. Sauf envers Marquet, qu'il a toujours aimé et admiré, ses rapports avec ces peintres camarades étaient réciproquement respectueux, en quelques cas cordials, mais pas intimes. Il préférait écouter à parler, et puis, peutêtre préférait-il aussi peindre que de causer de la peinture, il a bien retenu l'amitié de tout le monde de son cercle. Néanmoins quoiqu'il pourrait bien sembler incapable de discuter aux entretiens des artistes, on voyait très bien qu'il avait toujours son propre avis.

Manguin a atteint un succès presque instantanné comme jeune peintre des années 1890. Cependant dès 1910, selon de différentes raisons, son art commença d'attirer de moins en moins de l'appréciation critique, et puis vers 1920 il s'est retiré presque tout-à-fait des expositions publiques, et il n'exposait que de temps en temps aux galeries.

Vers 1905 Manguin est arrivé à une crise de sa carrière jeune. Comme beaucoup de ses contemporains, il a choisi de s'attacher tout près du monde qu'il connaissait bien—en ce cas sa maison, sa femme, ou, s'il était sorti, il cherchait le défilé familier du publique aux parcs et aux jardins de Paris. Son choix de sujets était en bon rapport avec les impressionnistes. Manguin serait bien influencé des impressionnistes à l'égard de l'approche à la réalité, mais il a ajouté encore une dimension de sa perception d'elle. Il scruta de son regard jusqu'à sa satisfaction complète, les possibilités extrèmes de la couleur, et puis, ayant assemblés ses couleurs en d'ordres d'une variété frappante, il a continué d'explorer les possibilités mystérieuses d'une gradation infinie de teints colorés, au but d'y en tirer des timbres les plus raffinés, le parfum essentiel des objets intimes et des activités de chez lui.

Nous avons remarqué que le succès de Manguin fut presque immédiat aux années

Paris was too foreign, it seems—too remote from his urban-provincial world to yield to his genius for compression and distillation. From the windows of his studio it was another story. Here the roofs and streets of his district were his friends.

And when he returned from the harbor cafés to his wife seated at a window, his ability to transfer and transcend the ordinary by the alchemy of his affectionate spirit was immediately evident. He was able for a moment to apply his eye and hand without reservations or artistic compromise. He comes to such scenes with a Degas-like perception of the unconventional pose or incident. Nevertheless, when all is said by way of extenuation, and however one may try to select later work that reflects something of Manguin's original genius, the fact remains that the progress of his art during the last twenty-five years of his life, until his death in 1949, appears to us now as retrogressive if not reactionary.

Despite his extraordinary craftsmanship as a painter, as he grew older and withdrew more and more into himself, he seems to have taken an almost perverse pleasure in denying his early training—his wonderful ability to transform and synthesize the phenomena of natural appearances—and, in an excruciating effort to record the most minute detail, he came to sacrifice, more often than not, unity in his compositions and harmony in his color orchestrations. Parisian society exploited his talents, but Manguin chose to serve it. The choice was Manguin's and he could not escape the responsibility. It is true, as a few late pictures bear witness, that he struggled to retain something of his original intimacy of feeling *(Bouquet au vase bleu*, plate no. 50, page no. 116). However, one feels that these occasional examples of an earlier privacy of expression are in the nature of nostalgic memories of a world long past.

1909 was the year Jeanne and Henri

1890, quand son art a atteint un degré de sensibilité avant l'âge de 30 ans. De sa peinture l'on voit des exemples frappants de la précocité qui caractérisait sa période de fin-de-siècle; et sûrement parcequ'il préferait peindre plutôt que de théoriser.

On commence, au début du nouveau siècle, d'appercevoir quelque chose de nouveau aux œuvres de Manguin. Cela se fait d'abord très lentement, fermément allié avec un changement du même temps de sa vie sociale. Ses tableaux réflètent ses nouvelles alliances avec un monde élégant vis-à-vis l'ancienne vie des discussions aux cafés, de l'inspiration litéraire et de l'atmosphère étroite et enfermée de sa propre vie chez lui.

Il avait à ce point des liaisons officielles avec des marchands, et grâce à ceux-ci, il fut presenté au cercle qui a du lui sembler assez superficiel, d'amis, desquels il y avait probablement ou par intention, bien des clients prospectifs. C'était un temps de relâchement, ce qui est souvent charmant. Sa facture plus détachée, ainsi que des arrangements plus clairs de couleurs, avaient souvent le résultat d'un tableau charmant, même éclatant, enlevé de loin des harmonies exquises et méditatives de sa jeunesse. Le sujet intime a été déplacé par l'exposition pittoresque de la virtuosité technique.

L'élargissement des contacts sociaux de Manguin fut en partie la cause pour laquelle il a quitté Paris pendant les étés, qu'il a passés chez ses nouveaus amis à St.-Tropez. Le résultat fut le plaisir des vacances au paysage et puis il a essayé de raconter ses impressions du pays et de la mer. D'abord il n'a pas pu adapter son génie intime au terrain inconnu, ces vues de champs et du port étaient souvent conventionelles et peu brillantes; le paysage au-delà de son arrondissement favori de Batignolles, et les parcs de Paris étaient trop à l'étranger, on devine—trop éloignés de son monde urbain-provincial, pour se rendre à son tal-

moved into a little town house at rue Saint-James, Neuilly *(Le bouquet enveloppé,* color plate no. 36, page no. 102). You arrive at Neuilly by a highway that cuts through a peaceful landscape. It is surrounded by other small villages nestled in gently rolling hills, covered with fruit trees and flowers. The human scale of the land, the humbleness of the steeple of every village church, evoke another age. In one of the narrow cobbled streets was Manguin's house. The high walls that surrounded it were typical of the French hope for privacy. This was not a poor suburb, but a nobler countryside, and Manguin seemed like the lord of the village.

In the small, tree-shaded courtyard was the classic facade of the traditional French petit château. The doors and windows were high, and the horizontal rows of small square windowpanes rose like small multiple ladders. In this Old World atmosphere the eye was distracted to a discordant object—a "Buick." The contrast of the quiet, sleepy village, the red stones of the house, the badly paved yard with its chickens and barking dogs, and this 20th century automotive monster was the key to Manguin.

The Fauve movement gained its name from a critic who described a room full of pictures in the third Salon d'Automne of 1905 as "the Wild Beasts' Cage!" (cage au fauves). *(14 Juillet à Saint-Tropez,* color plate no. 16, 17, page no. 82, 83). The artists thus labeled were Henri Matisse, Georges Rouault, Henri Manguin, Maurice de Vlaminck, Kees van Dongen and Marquet; at this stage they were all enthusiastic imitators of Van Gogh's use of the most brilliant colors. As symbols of vitality and excitement they all painted landscapes and figures, street and port scenes; and florals, still lifes in vivid mosaics of vermilion, emerald green, cadmium and cobalt, and all at this time used a heavy and vigorous touch. The Fauve movement, being mainly concerned with emotive coloring and handl-

ent de la concentration et du distilment. Des fenêtres de son atelier, c'était bien autre chose. Ici les toits et les rues du voisinage étaient ses amis.

Et puis quand il est revenu des cafés de ports, trouver sa femme assise près de sa fenêtre, son pouvoir de transmettre l'habituel par l'alchimie de son esprit affectueux est apparu tout-de-suite. Il pouvait pour le moment appliquer son œil et sa main sans réserve ni compromis artistique. Il est arrivé à ces scènes en employant une perception telle que celle de Degas, d'une attitude ou d'un évènement peu conventionnel. Néanmoins, malgrè toutes les explications, et n'importe par quelle façon on tâche de choisir l'œuvre postérieure qui réflète quelque trace du talent original de Manguin, il reste toujours le fait que le progrès de son art durant ses dernières 25 années, jusqu'à sa mort en 1949, nous paraît aujourd'hui rétrogressif si non réactionnaire.

En dépit de son habileté extraordinaire comme peintre, comme il devint plus âgé et se retira de plus en plus, il paraît qu'il trouvait du plaisir entêté en rejetant l'éducation de sa jeunesse—son art épatant de transformer et de synthétiser les phénomènes des apparences naturelles—et puis, d'un effort torturant d'enrégistrer le moindre détail, il est arrivé à sacrifier souvent l'unité de ses compositions et l'harmonie de ses orchestrations de couleurs. La société parisienne exploitait ses talents, mais Manguin a voulu la servir. Le choix était celui de Manguin, et il ne pouvait pas échapper sa responsabilité. Il est vrai, comme on le voit dans quelques tableaux des dernières années, il s'est démèné à retenir quelque part de ses sens intimes originaux *(Bouquet au vase bleu,* planche nº 50, page nº 116). Cependant, on sent que ses exemples d'occasion d'une expression privée d'autrefois sont comme des souvenirs nostalgiques d'un monde évanoui depuis longtemps.

Jeanne and Henri Manguin, surrounded by friends
Jeanne et Henri Manguin entourés d'amis

ing, was basically a Romantic movement. As the century advanced each of these artists developed in their own personal direction. Although Manguin's personality differed greatly from Matisse, Vlaminck and Derain, they all arrived at Fauvism simultaneously. However, Manguin's colors show a softer, more delicate touch, the brush strokes finer, the ambiance more sophisticated. Manguin's fine sensitivity is completely manifested in his portrait of his wife *(Madame Henri Manguin ou Jeanne à la rose,* color plate no. 3 page no. 69), a study of imposed harmony, where the background was so strong that the subject must emerge on its own. Manguin's touch was true, guided by a sure sense of light, movement and beauty.

Italy itself opened his eyes to art, although his journey was of short duration. This intelligent young man was sensitive and highly impressionable. He was not embarrassed to find tears in his eyes before a Madonna and Child. From here Manguin seemed to have realized, unconsciously, the direction his art was to take. His sharp observation and knowledge of design aided his purpose. He was unhampered by recipes or rules. His self-portraits reveal his own mobile, somewhat jolly features, unflatteringly caught *(Auto-portrait,* 1905, color plate no. 13, page no. 79), and the searching studies he made of his family *(Portrait de Lucile Manguin,* black and white plate no. 25, page no. 91), and *(Claude Manguin au Flutiau,* color plate no. 33, page no. 99), show Manguin's concept of naturalness and intimacy stressed over studio formality.

The years Manguin spent in Switzerland, 1910–1918, influenced not only his own art, but he encouraged Swiss collectors to invest in contemporary paintings. The Hahnlosers, Oscar Reinhardt, Buhler and Sulzer all had admirable canvases by Manguin. Having been released from military obligations during the war, Manguin took his family first to Lausanne and later, in 1917, to Neuchâtel.

L'année 1909 était celle du déménagement de Jeanne et Henri à la petite maison dans la rue St.-Jacques, Neuilly *(Le bouquet enveloppé,* planche n⁰ 36, page n⁰ 102). On arrive à Neuilly par une route qui partage le paysage paisible d'un coup tranchant. Il est entouré d'autres petits villages blottis dans les collines qui se déroulent doucement, couvertes d'arbres fruitiers et de fleurs. La qualité humaine du paysage, l'humilité du clocher de chaque petite église, évoquent un temps d'autrefois. Dans une des rues pavées rondes se trouvait la maison de Manguin. Les haut murs qui l'entouraient parlaient de l'éspoir français d'atteindre l'isolement. Ce n'était pas un faubourg pauvre, mais c'était plutôt un paysage plus noble, et Manguin semblait comme seigneur du village.

Dans la petite cour abritée se trouvait la façade classique du château français traditionnel. Les portes et les fenêtres étaient hautes, et les rangs horizontaux de petits carreaux montaient comme des petites échelles multiples. En regardant cette scène dans l'atmosphère d'un monde ancien, l'œil fut distrait par un objet discordant—un "Buick." Voila le contraste, du village tranquille et endormi, les pierres rouges de la maison, la cour mal pavée, bruyante de ses poulets et de ses chiens aboyants, avec ce monstre automoteur du 20ême siècle—c'est là la clef de Henri Manguin.

Le mouvement Fauve a reçu son appellation de la part d'un critique qui a décrit une salle comblée de peintures du troisième Salon d'Automne de 1905 comme une "cage au fauves" *(14 Juillet à Saint Tropez,* en couleur, planche n⁰ 16, 17, page n⁰ 82, 83). Les artistes ainsi désignés furent Henri Matisse, Georges Rouault, Henri Manguin, Maurice de Vlaminck, Kees van Dongen et Marquet; à ce point-là ils étaient tous imitateurs enthousiastes de Van Gogh dans l'usage des plus vives couleurs. En symbolisant la vigueur et l'agitation ils ont peints les paysages et les figures, les scènes

The return of Manguin to Paris in 1918 also renewed his contacts with the galleries, collectors and his friends who had been scattered during the war. Manguin, in his late 30's was not rich in the way that young painters are often rich today, but there came that moment when it was clear that, with reasonable luck, he would never be poor. He was a man of substance. He had acquired what all painters dream of: a group of solid, serious, durable patrons. Manguin repaid his collectors with the deep but undemonstrative affection that he reserved for people who, in his eyes, had really proven themselves.

Manguin's work developed with admirable regularity. He was against violent expression, and against the rendering of fugitive impressions. He wanted a considered art, an art of serenity, from which everything nonessential had been pared away, an art of which he himself was the master. All artists bear the mark of their time, and the great artists are the ones in whom the mark lies deepest. Manguin knew, though he would not say, that the great artist is the one who takes the whole burden of his time upon himself, who paints not for color's sake, or for heaven's sake, or for pity's sake, but for his own sake! Manguin accepted that burden and lived with it and proved himself right.

As one of the first great Fauves, Manguin found in the violence of color the means of expressing his vitality; it enabled him to become one of the most powerful and dynamic painters of his day (La sieste, black and white plate no. 19, page no. 85). Then, lashed by discipline, he found his talents and obediently painted in a seemingly impersonal manner. There was grandeur in his conflict, in these paintings, and in this man. Rhythm and the beat of life were essential to Manguin. His vitality is expressed through his visual exuberance. For Manguin, decoration was not superfluous, but the abundance of life's creativity. He believed in lavishing the gifts of the artist. This pleasurable, even

de ports et de rues; et puis les fleurs, des natures mortes en mosaiques vives de vermilion, de vert émeraud, de cadmium et de cobalt, y mettant tout-le-temps une main pesante et vigoureuse. Le mouvement Fauve, s'agitant principalement de la manipulation des couleurs d'émotion, était en principe un mouvement romantique. Avec l'avance du siècle, chacun de ces artistes a développé son sens particulier. Quoique l'esprit de Manguin fut bien autre que ceux de Matisse, Vlaminck et Derain, ils sont tous arrivés à la même fois au fauvisme. Cependant, les couleurs de Manguin sont appliquées d'une main plus délicate, plus douce, avec des brosses plus raffinées, d'une ambiance plus sensible. Sa sensibilité tendre se voit tout-à-fait dans le portrait de sa femme, (Madame Henri Manguin ou Jeanne à la rose, planche en coulour n⁰ 3, page n⁰ 69) une étude en harmonie imposée, dont le fond a une telle force que le sujet doit sortir de son propre chef. La main de Manguin était sûre, conduite d'un sens assuré de la lumière, du mouvement et de la beauté.

L'Italie-même lui a montré l'art, quoique son voyage là n'était que de durée brève. Ce jeune homme intelligent était sensible et très impressionnable. Il ne se gênait pas-du-tout en sentant des larmes aux yeux devant une Madone à L'Enfant. C'était de là qu'il semblait que Manguin s'est persuadé, sans en rendre compte, du sens destiné pour son art. Son observation pénétrante et sa connaissance du dessin l'ont aidés à atteindre son but. Il n'était entravé d'aucune recette ni d'aucune règle. Ses auto-portraits révèlent sa physionomie mobile et quelque peu joviale, saisie sans flatterie. (Auto-portrait, 1905, planche n⁰ 13, page n⁰ 79) et puis les études pénétrantes qu'il a fait de sa famille, (Portrait de Lucile Manguin, noir sur blanc, planche n⁰ 25, page n⁰ 91) et (Claude Manguin au flutiau, planche en couleur, n⁰ 33, page n⁰ 99) offrent l'idée de Manguin, du naturel et de l'intime, insisté au dessus de la cérémonie de l'atelier.

The artist and his model, Henri and Jeanne Manguin
L'artiste et son modèle, Henri et Jeanne Manguin

hypnotic power of ornament, used knowingly by Manguin, gave his art a sensation of rest, of peace. His was an art of balance, of purity, and serenity, devoid of trouble and depressing subject matter. A Manguin painting is a visual glimpse of heaven on earth.

When Manguin, through the magic of his art, created the momentary but incessantly recurrent sensation of joy and beauty, he allowed us to escape reality. His ability to entice us from everyday life, as if under a charmed spell, reveals much about himself. His yearning for the exotic, his search for beauty were the ambitions and silent cries of a great artist who undauntedly believed in the grandeur of a beauty that he instinctively knew he could reveal through his art.

One concludes that the quietist, intimate genius of Manguin was really too foreign to the spirit of his time, whether social or artistic, to have waged anything but a losing battle with forces that were apparently beyond his control. Nevertheless the extraordinary quality and maturity of his early work can never be denied and his "sincerity and enthusiasm, violent, exquisite, as passionate in his life as in his art," still have potential significance for painters today.

William E. Steadman, Director
The University of Arizona Museum of Art

Les années qu'il a passé en Suisse, 1910–1918, ont influencées non seulement son art propre, mais aussi il a encouragé des collectionneurs suisses de placer de leur argent sur les tableaux contemporains. Les Hahnloser, Oscar Reinhardt, Buhler et Sulzer avaient tous acheté des toiles admirables de Manguin. Dès sa démobilization à la fin de la guerre, Manguin a emmèné sa famille d'abord à Lausanne, et en suite, en 1917, à Neuchâtel.

Revenu à Paris en 1918, Manguin a aussi renouvelé ses contacts avec les galeries, avec les collectionneurs, et avec ses amis qui s'étaient dispersés durant la guerre. Manguin, qui avait bien dépassé la trentaine, n'était pas riche comme le sont souvent les jeunes artistes d'aujourd'hui, mais il lui est arrivé un moment quand il fut évident que, bonne chance entendue, il ne deviendrait jamais pauvre. Il était un homme qui avait de quoi. Il avait déja acquis tout ce que désirent tous les peintres: un groupe de patrons solides et sérieux. Manguin a payé ses collectionneurs d'une affection profonde mais non démontrée, qu'il a reservé pour ceux qui selon son idée, venaient de faire leurs preuves.

L'œuvre de Manguin se développa d'une régularité admirable. Il opposait l'expression violente, et aussi l'interprétation d'impressions fugitives. Il voulait un art considéré, un art paisible, duquel toute chose non-essentielle était enlevé, un art duquel lui-même, il était le maître. Tous les artistes portent le signe de leur propre époque, et les plus grands artistes sont ceux les plus profondément marqués. Manguin savait, quoiqu'il n'en disait rien, que l'artiste majeur est celui qui porte sur ses épaules le fardeau entier de son temps, qui peint non par égard pour la couleur, ni pour l'amour du paradis, ni pour la pitié, mais pour lui-même! Manguin a accepté ce fardeau et il l'a porté durant toute sa vie et puis il a établi ses preuves qu'il avait raison.

The Demière Villa, Saint-Tropez
Villa Demière, Saint-Tropez

Un des premiers Fauves d'importance, Manguin a trouvé dans l'usage des couleurs vives le moyen d'exprimer sa propre vigueur; cela lui a permis de devenir un des plus puissants et des plus énergiques des peintres de son époque. *(La sieste*, blanc sur noir, planche n° 19, page n° 85). Alors, fouetté par la discipline, il a trouvé ses talents et en les obéisssant, a peint d'une manière impersonnelle en apparence. Il y avait de la majesté dans ce conflît, dans ces tableaux, et dans cet homme. Le rhythme et le battement de la vie étaient essentiels à Manguin. Sa vigueur est exprimée par son exubérance visuelle. Manguin ne regardait pas la décoration comme superflue, mais comme l'abondance de la créativité de la vie. Il croyait à prodiguer les dons de l'artiste. Ce pouvoir agréable, même hypnotique, de l'ornementation, employé consciemment par Manguin, a ajouté à son art un sens de repos, de la paix. Son art était caracterisé par l'équilibre, la pureté et la sérènité, sans peine et sans sujets déprimés. Une peinture de Manguin est une belle vue du paradis sur la terre.

Quand par la magie de son art, Manguin a créé le sens du bonheur et de la beauté éphémère mais constamment se renouvelante, ils nous a permis de nous dégager de la réalité. Sa capacité de nous retirer de la vie quotidienne comme par quelque sortilège enchanté, nous révèle beaucoup de lui-même. Son élan vers l'exotique, sa recherche de la beauté, étaient les ambitions et les cris silencieux d'un grand artiste qui sans peur croyait à la majesté d'une beauté qu'il savait instinctivement qu'il pouvait révèler par son art.

On déduit que le talent tranquille et intime de Manguin était en réalité trop étranger à l'esprit de son époque, quoiqu'il soit considéré comme social ou artistique, pour qu'il s'aurait combattu avec les forces hors de son contrôle autrement qu'en étant vaincu. Cependant, la qualité et la maturité

de son œuvre d'autrefois ne serait jamais niées, et sa "sincérité et enthousiasme, violents, exquis, aussi passionnés dans sa vie que dans son art," ont encore pour les peintres d'aujourd'hui une significance potentielle.

William E. Steadman, Directeur
Musée d'Art
Université d'Arizona

Henri Manguin

Henri Manguin

Henri Manguin, in front of his studio at Neuilly
Henri Manguin, devant son atelier à Neuilly

The history of modern painting is much less well known than is often assumed. The stars are promoted almost beyond endurance and in the process a number of admirable artists tend to be overlooked. In fact, an artist's position is more often than not valued almost exclusively from the way in which he adheres to one of the fashionable styles, or fails to do so. There is a Holy Writ that has to be observed by the faithful.

Under this dispensation, suspicion is entertained about the old-fashioned way of looking at a work of art in terms of its creator's aims and appreciating its success in fulfilling them or not, as the case may be. But the search for quality, wherever it may occur, still has its adherents, fortunately. Moreover, at present something of a reaction against the received interpretation of modern art is taking place and a welcome cry for a revaluation has been made by Hilton Kramer of the *New York Times* in *The Age of the Avant-Garde*. This lively book, rich in critical insight, will play a part in fostering an independent point of view. So much the better!

The labels hung round the necks of artists and movements do not necessarily fit. Cubism, more or less, does so. But what of Fauvism? This term is applied to almost any picture with a dash of strong colour, painted between 1905 and 1910. And the claim that a work is fauvist gives it an added attraction, commercially as well as aesthetically.

Fauvism is a misleading description and Matisse once told Georges Duthuit that he did not understand the meaning of the word. The sobriquet was coined, of course, by the critic Louis Vauxcelles when he saw the group of young men—Matisse, Rouault, Manguin and Derain among them—who were hung in one room at the Salon d'Automne of 1905. But the Fauves were far from being wild beasts; they were artists intoxicated with colour and, by and large, they were eager to express their joy in life:

L'histoire de la peinture moderne est beaucoup moins connue que souvent on le devine. Les étoiles sont précipitées presque plusque l'on le peut supporter, et en train de ce procès plusieurs artistes admirables pourraient bien être négligés. En fait, la position d'un artiste est plus que souvent estimé presque tout-à-fait de la manière par laquelle il s'attache à quelque stil à la mode, ou qu'il manque d'y suivre. Il y a là une Ecriture Sainte que les fidèles sont obligés d'observer.

D'après cette disposition, on se méfie de l'ancienne mode d'observer une œuvre d'art selon les buts de son créateur et en estimant s'il a réussi à les accomplir ou non, en tout cas. Mais la recherche de la qualité, n'importe ou, retient encore heureusement ses partisans. En outre, il y a justement aujourd'hui quelque réaction contre l'interprétation acceptée de l'art nouveau, et un cri d'acceuil saluant la réévaluation s'entend de la part de Hilton Kramer du *New York Times* et de *L'Age de L'Avant-Garde*. Ce livre vif et spirituel, plein de perspicacité critique, jouera bien son rôle en protégeant un point-de-vue indépendant. Tant mieux!

Les étiquettes attachées aux cous des artistes et aux mouvements ne sont inévitablement convenables. Le cubisme, plus ou moins, est propre. Mais que dirait-on du fauvisme? Ce terme s'applique à n'importe quelle peinture caractérisée de couleurs vives, qui provient de la période 1905 jusqu'à 1910. Et puis la prétension qu'elle soit une œuvre fauviste ajoute encore un charme non seulement commercial mais aussi esthétique.

Le terme "fauvisme" est une description trompeuse et Matisse a autrefois avoué a Georges Duthuit qu'il ne comprenait pas le sens du terme. Le sobriquet fut une fabrication, bien entendu, du critique Louis Vauxcelles quand il a observé les œuvres d'un groupe de jeunes artistes—Matisse,

41

Rouault was an exception. The term Fauve, in fact, might be more appropriately bestowed on the animal paintings of Delacroix or the sculpture and water-colours of Barye!

Each artist of the group (if this is not too strong a word) ought to be examined on his own merits, and an attempt made to single out the elements in his work that give it individuality. This is certainly true of Henri Manguin, who is not perhaps as well known as he deserves to be, and the present exhibition is the first large-scale one to be held in the United States.

Manguin was born in the rue Dunkerque, Paris on 23 March, 1874. Yet although a Parisian, curiously enough, he only painted the City on one occasion—a small and tender impressionistic view done in his youth. When he was six years old Manguin lost his father, but, fortunately, the family had money of its own and he was lucky enough to live when a small income went far and was not eroded by inflation!

After attending the Lycée Colbert, his mother agreed that he could take up painting and in 1890 he moved into a studio in the rue Bachelet, Montmartre, a traditional artists' *quartier*. He realized that he could not proceed without instruction and four years later took the wise decision of entering the studio of Gustave Moreau.

Moreau's art has been revalued only recently, and he is recognized as one of the most interesting painters of the day whose heady visions were inspired by a love of the past and enjoy a full measure of symbolism and *fin de siècle decadence*. He had a passion for bold and fluent colour and his powerful influence was by no means confined to his contemporaries; Nicolas de Staël was indebted to him and once intended to write an essay about his colour. If only he had done so!

Moreau's studio was one of the most seminal places of the 1890s and 1900s, where some of the brightest young artists studied,

Rouault, Manguin et Derain inclus—exposés dans une seule salle du Salon d'Automne de 1905. Mais les Fauves étaient bien loin d'être des bêtes fauves; ils étaient artistes ivres de couleurs et, généralement, ils désiraient avidement exprimer leur joie de vivre: Rouault fut l'exception. En fait, le terme Fauve pourrait plutôt appartenir aux tableaux d'animaux de Delacroix ou à la sculpture et les aquarelles de Barye!

Chaque artiste de ce groupe (si la parole n'est pas trop frappante) mérite l'examination sur ses propres fonds, et on devrait essayer à distinguer les éléments desquels ses œuvres tirent leur caractère particulier. Quant il s'âgit de Henri Manguin, bien sûr ceci est applicable. Il n'est peutêtre pas tellement connu qu'il le mérite, et l'exposition d'aujourd'hui est la première dévoilée en grand aux Etats Unis.

Manguin naquit dans la rue Dunkerque à Paris, le 23 mars, 1874. Cependant, quoiqu'il fut Parisien, c'est un fait singulier qu'il n'a qu'une seule fois dépeint la ville-même —c'était une petite et tendre vue impressioniste de sa jeunesse. A l'âge de six ans, Manguin a perdu son père, mais heureusement la famille possédait ses propres fonds, et il avait la bonne fortune de passer ses jours au temps quand un revenu modeste s'étalait plus loin et quand il ne se trouvait pas érodé de l'inflation!

Après avoir étudié au Lycée Colbert, avec l'agrément de sa mère qu'il aurait permission de débuter dans la peinture, il a déménagé pour demeurer plutôt en atelier dans la rue Bachelet, Montmartre, traditionellement un quartier d'artistes. Il réfléchit qu'il ne pourrait faire aucun progrès sans enseignement, et quatre ans après, il se décida sagement d'entrer à l'atelier de Gustave Moreau.

L'art de Moreau vient d'être apprécié de nouveau, et il est reconnu comme un des peintres les plus intéressants d'un temps dont les visions emportées furent inspirées

including Matisse, Rouault, Camoin and Puy. His teaching did not crush his pupils; rather it permitted them to evolve after their own fashion. The Master was eager that his students should treat colour in an imaginative way—his small panels are studies in pure colour—and find their models in the streets. He was also keen that they should devote attention to earlier art and made them work after the Old Masters in the Louvre. Manguin produced copies after Titian, Poussin and Velázquez which were acquired by the State.

Manguin's grounding was important for his development, especially as he showed a keen eye for the best in nineteenth- and early-twentieth-century painting. Manguin, the painter, must be complemented by Manguin, the connoisseur. He became a frequent visitor to exhibitions and discovered Cézanne, whose work was shown for the first time at Vollard's in 1895. Later he became an enthusiast of Van Gogh.

In 1896 Manguin accompanied a fellow pupil at Moreau's, De Mathan, a Breton, to La Percaillerie at Cotentin, near Cherbourg. This trip gave him a chance to begin his life-long endeavour to decipher the secrets of Nature; at this stage, his landscapes did not show the colouristic influence of Moreau and were in a low key.

The trip to Cotentin was important for another reason. While there he met his future wife, Jeanne Carette, who lived in Paris. He saw her through a window while she was having a piano lesson; her teacher, whom he knew, introduced the young pair. It was a case of love at first sight. They were married in June 1899 and their wedding Mass was composed by a friend, Philippe Gaubert. It was an exceedingly happy marriage: Manguin and Jeanne were ideally suited and he always acknowledged how much he owed to her.

The Manguins took a small house, No. 61 rue Boursault in the Batignolles *quartier* of

par l'amour du passé, et qui sont pleines du symbolisme et de la décadence du fin de siècle. Il aimait passionnément la couleur décidée et facile, et sa forte influence n'était pas-du-tout limitée à ses contemporains; Nicolas de Staël lui devait beaucoup, et il avait une fois l'intention d'écrire un essai selon son usage de la couleur. Si seulement il l'aurait accompli!

L'atelier de Moreau fut un des endroits les plus séminaux des années 1890 et 1900; c'était là qu'étudiaient quelque-uns des jeunes les plus brillants, compris Matisse, Rouault, Camoin et Puy. Comme maître, il n'a pas écrasé ses élèves; il a plutôt permi qu'ils se développent selon leur propre manière. Le maître voulait bien que ses élèves traiteraient d'imagination la couleur—ses petits panneaux sont des études en couleur pure—et qu'ils trouveraient dans les rues leurs modèles. Il était aussi enthousiaste pour qu'ils feraient des études de l'art ancien, et puis il les instruisait de travailler après les anciens maîtres au Musée du Louvre. Manguin a produit des copies d'après Titian, Poussin et Velasquez. Ces tableaux furent acquis par l'Etat.

La connaissance fondamentale de Manguin était importante à son développement, en particulier parcequ'il avait le coup d'oeil pour tout le mieux de la peinture du dix-neuvième et du début du vingtième siècle. Le peintre Manguin doit servir de complément pour Manguin, le connaisseur. Il fréquenta souvent les expositions, et il a découvert Cézanne, l'œuvre duquel fut exposé pour la première fois chez Vollard en 1895. Plus tard il est devenu enthousiaste pour Van Gogh.

En 1896 Manguin a accompagné un condisciple de chez Moreau, De Mathan, un jeune Breton, jusqu'à La Percaillerie à Cotentin, aux environs de Cherbourg. Ce voyage lui offra l'opportunité de s'élancer dans l'effort de toute sa vie, de déchiffrer les

Near Sanary: Henri, Jeanne and their son Claude, with friends
Près de Sanary: Henri, Jeanne et leur fils Claude, avec des amis

Paris, with a pretty garden; there were born their three children, Claude, Pierre and Lucile. This remained their home until 1910 when they moved to No. 7 rue Saint-James, Neuilly.

Manguin and his wife enjoyed inviting artists, writers and musicians to visit them. Madame Manguin was a good pianist and Manguin himself loved music, often humming airs from Mozart's *The Marriage of Figaro* or Beethoven's *Ninth Symphony* while working. One friend was Maurice Ravel, whose portrait he painted in 1902. In an undated letter the composer asked Manguin if he had been back to hear Debussy's *Pelléas et Mélisande*. *'Il parait', he said, 'que la pièce fait recette que l'on rapelle les interprêtes 3 ou 4 fois à chaque représentation!'* In the same letter, Ravel told him not to expect him that evening, as he was going to hear Fauré's *Requiem*.

Painting was hotly discussed in the rue Boursault. There was much to talk about—the role of colour especially. After the 'Académie Carrière' closed down, men such as Marquet and Jean Puy came to his studio to work from the same model and one of Manguin's most effective paintings of 1903, a striking nude, shows Marquet in the background. The links that bound the young men were a determination to revitalize painting by means of a revaluation of colour and a forceful draughtsmanship.

The extent to which Manguin was set on a fresh course by Matisse during these years is a complex one. Certainly Matisse's paintings of the nude male model executed in 1899–1901 were influential on his generation. However, Manguin's oils of 1902 show that he had his own style and that he used flat areas of colour to achieve his effects. And both men followed different paths; Matisse underwent a neo-impressionist phase; Manguin did not. Manguin's roots lie in the colour studies of Moreau and he was indebted to the direct painting and construc-

secrets de la nature; maintenant ses paysages n'avaient plus l'influence critique de Moreau, et ils présentaient un ton sombre.

Le voyage à Cotentin était d'ailleurs valable pour encore une raison. Pendant son séjour là-bas, il a fait la connaissance de sa future femme, Jeanne Carette, qui demeurait à Paris. Il l'a observée par une fenêtre pendant sa leçon du piano; son maître, qu'il connaissait, les a présentés l'un à l'autre. Ce qui s'est passé, c'était un coup de foudre. Ils se sont mariés au mois de juin, 1899, et leur Messe Nuptiale fut composée par un ami, Philippe Gaubert. Ce fut un mariage bienheureux: Manguin et Jeanne s'entendaient idéalement et il avoua toujours tout ce qu'il devait à sa femme.

Les Manguins ont pris une petite maison, Nº 61, rue Boursault, dans le quartier de Paris qui s'appelle Batignolles, ou il y avait un joli jardin; c'est là ou sont nés leurs trois enfants, Claude, Pierre et Lucile. Ils sont restés dans ce logis jusqu'à l'année 1910 quand ils ont déménagé au Nº 7, rue Saint-Jacques, Neuilly.

Manguin et sa femme ont invités avec plaisir les visites des artistes, des écrivains et des musiciens. Madame Manguin jouait trés bien du piano et Manguin lui-même aimait bien la musique, fredonnant souvent des airs de l'opéra de Mozart, "Les Noces de Figaro" ou de la neuvième symphonie de Beethoven tandis qu'il travaillait. Un de ses amis était Maurice Ravel, duquel il a peint le portrait en 1902. Selon une lettre sans date, le compositeur demanda à Manguin s'il était revenu pour entendre "Pélléas et Mélisande" de Debussy. *"Il paraît,"* écrivit-il, *"que la pièce fait recette que l'on rappelle les interprètes 3 ou 4 fois à chaque représentation!"* Par cette même lettre, Ravel l'a prévenu de ne pas l'attendre ce soir-là, parcequ'il avait l'intention d'aller assister au *Requiem* de Fauré.

La peinture fut le sujet des discussions ardentes dans la rue Boursault. Il y avait

Henri Manguin in his studio at Neuilly
Henri Manguin dans son atelier à Neuilly

tive compositions of Cézanne, as may be seen from *Nature morte au Chianti* (1905) or *Le pot vert* (1905).

Manguin showed at the Société Nationale in 1900 and then at the small gallery run by Berthe Weill on the Left Bank. He was also represented at the Salon des Indépendants in 1902 and belonged to its committee for some ten years. He exhibited at the Salon d'Automne from its inception in 1903, and became a sociétaire; he was well represented in the famous 1905 exhibition.

In the spring of that year, he had gone to St. Tropez, where he took a small house, the villa Demière to which he returned annually until 1910. In those days, this village was a paradise and much frequented by painters who would gather of an evening in the café close by the monument to Suffren. On one occasion, Manguin had Bonnard to stay with him and one can well imagine how both enjoyed the riches of the landscape. In 1906 he was at Cavalière when he met Cross and Van Rysselberghe.

Contact with the Midi and with its radiant sunshine is one of the catalystic forces in French painting of this period, as Maurice Denis stressed in his evocative and dithyrambic essay, 'Art and Sunlight' (1906). This region brought out the best in Manguin's art and his vitality is no where better shown than in his lyrical paintings of the Quatorze Juillet. The pictures of these years have radiance and fluency: they present rich reds, blues and greens and suggest his desire to capture the effect of sunshine on trees and flowers and to create visual harmonies composed by means of intensified colours.

An especially interesting picture sent by Manguin to the 1905 show was *La sieste* for which Jeanne posed. This painting, as well as others from the same period, show that the art of Manguin and fellow-lovers of the Mediterranean may be related to the great tradition of tapestry designing which is such

beaucoup de quoi causer—en particulier le rôle de la couleur. Après que "l'Académie Carrière" fut fermée, quelques-uns tels que Marquet et Jean Puy sont arrivés souvent à son atelier pour travailler du même modele, et dans un des tableaux les plus impressionnants de Manguin de 1903, un nu frappant, on voit Marquet au fond. Les liens entre ces jeunes gens furent constatés d'une intention fixe de révivifier la peinture par une réévaluation des couleurs et puis d'un dessin puissant.

La mesure qui nous dirait combien Manguin s'est trouvé aux nouveaux cours par l'influence de Matisse est compliquée à calculer. Certainement les peintures à l'huile de l'année 1902 révèlent son propre stil, en indiquant aussi qu'il a employé des étendues plates pour atteindre ses effets. Et puis les deux artistes ont poursuit des chemins différents; Matisse a subit une phase néoimpressionniste; Manguin, non. Les racines de Manguin se trouvent dans les études de couleurs de Moreau, et puis il était redevable à la peinture absolue ainsi qu'aux compositions constructives de Cézanne, comme on l'observe de la *Nature morte au Chianti* (1905) ou de *Le pot vert* (1905).

Manguin a exposé à la Société Nationale en 1900 et ensuite à la petite galerie sous la direction de Berthe Weill à la Rive Gauche. Il fut aussi représenté au Salon des Indépendants in 1902, et pendant environ dix ans il était membre de ce comité. Il a exposé au Salon d'Automne dès son début en 1903, et il est devenu secrétaire; il fut bien représenté à l'exposition renommée de 1905.

Au printemps de 1905 il était parti à St.-Tropez, ou il avait pris une petite maison, la villa Demière. C'est là qu'il est revenu chaque année jusqu'à 1910. Pendant ces jours-là, ce village était un paradis souvent visité des peintres qui se réunissaient les soirées au café tout près du monument Suffren. Une fois, Manguin a invité Bonnard chez lui, et l'on peut très bien s'imaginer

a fundamental feature of the French School. Unfortunately he never received commissions to design tapestries for the Gobelins, but it is easy to envisage his pictures being translated into this medium; they possess an innate sense of decoration. Once again, a reminder is offered of the relationship between the art of the Belle Epoque and that of the eighteenth century.

The years before the First World War were by no means free of internal trouble in France—for instance strikes were numerous—but few paintings suggest that life was anything but agreeable; Picasso of the Blue and Rose period, Rouault and such overtly 'social' artists as Steinlen or Forain are exceptions.

Manguin would not have realised that the leisured and comfortable life of the bourgeoisie was drawing to a close and that he was in the position of recording a vanishing era. The peaceful landscapes with women lying on the grass or drinking tea in gardens call to mind Rupert Brooke's famous lines: 'Is there honey still for tea?'; and Manguin's pictures, or those of Bonnard, may be related to the tradition of idyllic art which originates in *cinquecento* Venice.

Manguin's name was soon well known to connoisseurs. As early as 1900, Olivier Sainsère bought one of his pictures and in 1905 Ambroise Vollard acquired 150 of his pictures at one stroke. In the same year, at the time of the Salon des Indépendants, his work was spotted by Leo Stein, then dabbling in painting and philosophy. This gifted if somewhat Chekhovian American had arrived in Paris early in 1903, establishing himself at No. 27 rue de Fleurus where he was later joined by his sister, Gertrude Stein.

Stein bought a picture—a nude—from Manguin which used to hang in the rue de Fleurus. The two men became friendly. One bond between them must have been their admiration for Cézanne. Stein arranged for

comme tous les deux, ils se sont réjouis du paysage superbe. En 1906 il s'est trouvé à Cavalière, quand il a fait la connaissance de Cross et de Van Rysselberghe.

Le rapport avec le Midi et son soleil éblouissant est une des forces catalytiques de la peinture française de cette époque, comme Maurice Denis l'a insisté dans son essai évocatif et dithyrambe, "L'Art et le Soleil" (1906). Cette région a évoquée tout de mieux de l'art de Manguin, et on n'observe guère si bien sa vivacité qu'en regardant ses tableaux lyriques du Quatorze Juillet. Les tableaux provenant de ce temps-là sont lumineux et faciles: ils présentent des rouges, les bleus et des verts vifs, et ils indiquent son désir de saisir l'effet du soleil sur les arbres et les fleurs, et de créer des harmonies visuelles composées grâce aux couleurs intensifiées.

Un tableau d'interêt particulier envoyé par Manguin à l'exposition de 1905 était *La sieste*, pour lequel Jeanne fut modèle. Ce tableau, ainsi que d'autres du même temps, démontre que l'art de Manguin et de ceux qui également ont aimés la Méditerranée peuvent bien avoir rapport avec la grande tradition du dessin de la tapisserie qui a pour l'école française une significance tellement fondamentale.

Malheureusement il n'a jamais obtenu aucune commande à dessiner des tapisseries pour les Gobelins, mais on peut bien envisager ses peintures traduites en cette véhicule; elles sont caractérisées d'un sens profond de la décoration. Et puis, de nouveau on rappelle à tout le monde le rapprochement entre l'art de la Belle Epoque et celui du dix-huitième siècle.

Les années qui ont précédées la première guerre mondiale, n'était pas-du-tout sans désordres intérieurs en France: par exemple, il y avait beaucoup de grèves—mais les tableaux qui indiquent que la vie ne soit pas agréable sont rares; Picasso des périodes bleue et rose, Rouault et d'autres franche-

Jeanne Manguin and her daughter, Lucile
Jeanne Manguin et sa fille, Lucile

Henri Manguin and his son, Claude
Henri Manguin et son fils, Claude

him and Matisse to see the group of paintings by this master owned by Egisto Fabbri; he also smoothed the Manguins' path when they went to Florence. Manguin did his friend a good turn by introducing him to Matisse, of whose art the Steins became devotees. Unfortunately, Stein's letters to Manguin contain no worthwhile information.

The way in which Manguin's pictures caught on is shown by a fan letter of 1906 from a Russian, Elizabeth Epstein who had met him at the Salon. She asked him if she might call to see him, bringing with her Jawlensky *'qui admire beaucoup vos tableaux.'* Nothing is known about Manguin's relations with this artist but alert Russian connoisseurs, such as Morosoff, Schukin and Haasen acquired Manguin's pictures.

Joachim Gasquet, the charming and jovial poet and author of a book on Cézanne, be-Manguin to declare *"Depuis Cézanne personne n'a peint comme vous, avec cette conscience ferme et cet instinct ravi d'amour."* Manguin to declare *'Depuis Cézanne personne n'a peint comme vous, avec cette conscience ferme et cet instinct ravi d'amour.'* Manguin had something of a talent for friendship and knew many of the talented and interesting people of his generation who would often come to his Saturday dinners at Neuilly.

In 1908, while working at the Atelier Ranson, Manguin ran into Marquet again. The two men got on exceedingly well and the Manguins went with Marquet on a trip to Naples in 1908. They remained on close terms until the end, and the affection that bound them is reflected in the numerous letters and postcards which Marquet sent to Manguin, some with amusing comments: one card from England is of a Constable landscape. Both men shared a love of the French scene and certain of Manguin's pictures of ports represent the motifs dear to his friend. Their early drawings are so similar that it is not easy to tell one artist's hand from the other.

ment "socials" comme Steinlen et Forain, sont des exceptions.

Manguin n'aurait jamais realisé que la vie du loisir et du confort de la bourgeoisie approchait déja sa termination, et qu'il avait le devoir d'enrégistrer une ère disparaissante. Les paysages paisibles avec les femmes allongées sur l'herbe ou prenant le thé au jardin nous rappelle des lignes bien connues de Rupert Brooke: "Is there honey still for tea?" (Y a t'il encore du miel pour le thé?); et les tableaux de Manguin, ou ceux de Bonnard, peuvent être en rapport avec la tradition de l'art idyllique qui a ses origines dans la Venise du *Cinquecento*.

Le nom de Manguin fut bientôt bien connu des connaisseurs. Déja en 1904, Olivier Sainsère, un collectionneur autoritaire, a acheté un de ses tableaux, et puis en 1905 Ambroise Vollard acquérit 150 de ses tableaux d'un seul coup. Dans la même année, pendant le Salon des Indépendants, son ouvrage fut découvert par Leo Stein, dans ce temps-là se mêlant de la peinture et de la philosophie. Cet américain doué, quoique quelque peu Chekovien, est arrivé à Paris au début de l'année 1903, s'établissant au Nº 27, rue de Flaurus, ou plus tard, sa sœur, Gertrude Stein, le retrouva.

Stein acheta un tableau—de nue—de Manguin. Ce tableau était autrefois au mur du logis dans la rue de Fleurus. Les deux sont devenus amis. Un lien entre eux aurait dû être leur admiration de Cézanne. Stein a arrangé les affaires pour qu'il et Matisse pourraient voir le groupe de tableaux par ce maître, possédés par Egisto Fabbri; il a aussi aplani le chemin des Manguins quand ils ont voyagé à Florence. Manguin obligea son ami en le présentant à Matisse, de l'art duquel les Steins sont devenus dévots. Malheureusement, les lettres de Stein à Manguin ne contiennent rien de renseignements valables.

La façon de laquelle les tableaux de Manguin ont pris pied est évidente d'une lettre de 1906 de la part d'une admiratrice Russe,

In 1910, when Manguin was at Honfleur, Félix Vallotton introduced him to two Swiss lovers of art, Dr. and Mrs. Arthur Hahnloser. It was a fortunate encounter, for they took to each other and were soon on intimate terms. The Hahnlosers bought many pictures from Manguin and the Hohnlosers' home, at Wintherthür, the Villa La Flora, became the place where many of the best Manguins were to be seen. Charles Montag, the painter and dealer, sold his work to other Swiss collectors such as Oscar Reinhardt, Buhler and Sulzer; he enjoyed a steady Swiss clientele.

The Hahnlosers were devoted to modern art and sensibly realised that someone like Manguin, who knew his way around Paris art circles, could help them. Hedy Hahnloser was sensible to write, as she did in 1911, *'Mais nous ne risquons pas à acheter sans vous; vous êtes trop bon connoisseur ... Nous avons toute confiance dans vos conseils.'*

Manguin's letters to the Hahnlosers from 1910 to 1942, which would be worth publishing, contain details about his trips and his life, but, above all, they shed light on his role in helping to form one of the most individual and charming collections of the period, one rich in nineteenth-and early-twentieth-century painting.

It is fascinating to find him in January 1911 advising his friends not to waste money on small pictures by Renoir, but to concentrate on acquiring a nude. His ambition to enrich the collection with a figure painting by Renoir was fulfilled when in June he managed to secure one in the Henri Bernstein Sale. 'It is,' he wrote, 'very beautiful, it is a *very pure*, a real girl of the people and moreover was a pose. The head is one of Renoir's best pieces and the hair, the hands, the fruit, you will see ...'

Other letters report how he purchased for them a Manet and a Redon. He found them splendid graphic work by Bonnard and Lautrec as well as Japanese prints. He was

Elizabeth Epstein, qui avait fait sa connaissance au Salon. Elle lui demanda la permission de le visiter, accompagnée de Jawlensky *"qui admire beaucoup vos tableaux."* Rien n'est connu du rapport de Manguin avec cet artiste, mais les vigilants connaisseurs Russes, tels que Morosoff, Schukin et Haasen, ont acheté des tableaux de Manguin.

Joachim Gasquet, le poète charmant et plaisant, auteur d'un volume au sujet de Cézanne, est devenu ami intime de Manguin, et l'a présenté au vieil artiste. Il s'élança même dans une de ses lettres chaleureuses du Midi à déclarer *"depuis Cézanne personne n'a peint comme vous, avec cette conscience ferme et cet instinct ravi d'amour."* Manguin posséda un talent pour l'amitié, et il a connu bien des personnages doués et intéressants de sa génération, qui furent souvent invités à diner chez lui les samedis à Neuilly.

En 1908, tandis qu'il travaillait chez l'Atelier Ranson, Manguin a de nouveau rencontré par hasard Marquet. Les deux se sont très bien entendus et les Manguins ont accompagné Marquet en voyage à Naples en 1909.

Leur amitié a durée jusqu'à la fin et l'affection qui les a liés se réflète dans des lettres et des cartes nombreuses que Marquet a envoyé à Manguin, quelques-unes avec des remarques amusantes. Une carte de l'Angleterre offre un paysage de Constable. Tous deux, ils ont pris part de l'amour d'une scène française, et certaines peintures de ports, de Manguin représentent les motifs auxquels son ami se tenait. Leurs dessins débutants sont tellement pareils qu'on ne peut facilement les distinguer l'un de l'autre.

En 1910, quand Manguin se trouvait à Honfleur, Félix Vallotton le présenta à deux suisses amateurs de l'art, M. le Dr. et Madame Arthur Hahnloser. Ce fut une rencontre heureuse, car ils se sont tous bien entendus et bientôt ils se trouvaient intimes.

Henri Manguin in Lausanne, in 1916
Henri Manguin à Lausanne, en 1916

particularly keen that they should own fine examples by his friend Bonnard.

Manguin's work was on view in various galleries in these years. Octave Maus invited him to send three works, including *La sieste*, to the Société des XX show in Brussels of 1906, and he appeared in group exhibitions as well as at Druet's gallery at No. 20 rue Royale in the heart of Paris, where he had a one-man exhibition in 1900. He was represented in the great exhibition of 450 French paintings organized by the French Institut and the art review *Apollon* in St. Petersburg. His work won praise from critics such as Guillaume Apollinaire who, in 1910, remarked that Manguin was a voluptuous painter. His pictures, he said, are of *"une sensualité un peu nonchalante"* and his nudes possess *"une franchise païenne."*

Apollinaire was right to praise his nudes. Such pictures show his delight in feminine charm and interest in composition, suggesting the influence Degas had on his generation and which is also evident in Bonnard's nudes. They indicate, too, the way in which this generation of French painters may be related to the eighteenth-century School, and it was not fortuitous that during this period collectors were enamoured of Boucher and his contemporaries.

Manguin managed to get away from Paris to work in the country during the summer months. He spent a summer at Sanary (where Derain painted in the '20s) and from 1912 to 1914, he was at Cassis. His letters to Madame Hahnloser show that at this period he sometimes underwent bouts of depression with regard to his work, and in August 1911 he confessed that his painting 'tormented him enormously and in spite of all his efforts he was dissatisfied.' But little of his worries and preoccupations may be observed in his pictures which continued to celebrate the visual pleasures of life.

Les Hahnloser ont acheté beaucoup de peintures de Manguin, et la maison Hahnloser, à Wintherthür, la Villa La Flora, est devenue l'endroit ou l'on pourrait observer les meilleures œuvres de Manguin. Charles Montag, peintre et marchand, a vendu ses œuvres à d'autres collectionneurs suisses tels que Oscar Reinhardt, Buhler et Sulzer; il avait toujours un ferme clientèle suisse.

Les lettres de Manguin aux Hahnloser de 1910 à 1942, qui méritent bien la publication, ment que quelqu'un tel que Manguin, qui connaissait bien les milieus d'art, les pourrait bien assister. Hedy Hahnloser a bien sagement observé, comme elle l'a écrit en 1911, *"Mais nous ne risquons pas à acheter sans vous; vous êtes trop bon connaisseur. Nous avons toute confiance dans vos conseils."*

Les lettres de Manguin aux Hahnloser de 1910 à 1942, qui serait dignes de publication, contiennent les détails de ses voyages et de sa vie, mais surtout elles illuminent son rôle d'aider la fondation d'une des plus charmantes et particulières des collections de l'époque, une époque comblée de la peinture du dix-neuvième et du vingtième siècle.

Il est frappant de le trouver au mois de janvier 1911, conseillant à ses amis de ne pas perdre de l'argent avec de petits panneaux de Renoir, mais plutôt de concentrer leurs efforts sur l'acquisition d'une peinture Renoir d'une nue. Son désir d'enrichir la collection avec une peinture de figure de ce maitre fut accompli quand au mois de juin il s'arrangea à en obtenir une à la vente Henri Bernstein. "Elle est," écriva-t'il, "très belle, très pure, une vraie jeune fille du peuple, qui néanmoins était modèle. La tête est une des meilleures de Renoir, et les cheveux, les mains, les fruits, vous verrez ..."

D'autres lettres racontent les façons par lesquelles il a acheté pour eux un tableau de

The war years did not distract Manguin from painting. He and his wife went to Lausanne in 1915 and in 1917 and 1918 they spent the summer at Colombier, near Neuchâtel, where he painted subtle views of the lake, pictures which possess, as Pierre Cabanne observed, the sort of colour nuances he had discovered earlier in Brittanny.

When the war was over the Manguins returned to France and he resumed his customary practice of retreating for the summers to the Midi. In 1920 he returned to his old haunt, Saint Tropez, where he bought a villa, 'L'Oustalet'. His circle there included Georges Grammont, founder of the Musée de l'Annonciade, Jules Supervielle the author, and Louis Jouvet, the actor. Manguin was keen on the theatre and every Christmas he would take his family to the Théâtre du Vieux Colombier. Another friend from St. Tropez was the poet Charles Vildrac, the author of the play Le Paquebot Tenacity and the owner of a small gallery on the Left Bank. Vildrac was a close friend of Roger Fry who also stayed at St. Tropez in the '20s and knew Manguin.

The pattern of Manguin's life remained almost the same to the end. He made various trips throughout France in his Buick, always hunting for a new motif. In 1923 he stayed in Marquet's studio in Marseilles, a city rich in themes for a painter and in the 1930s he went to Normandy and Brittany. The Manguins remained at Neuilly until 1938 when they moved into a flat in the rue Washington, off the Champs Elysées. When the war broke out they left for the Midi, staying with their son Claude at the Ile de la Barthelasse, opposite Avignon, where Manguin sensibly continued to paint. They returned to the capital only when the war was over. But by now Paris was too much for him and he went to St. Tropez in 1949, dying there on the 25 September, after a short ill-

Manet et puis un de Redon. Il a trouvé pour ses amis des belles œuvres graphiques de Bonnard et de Lautrec ainsi que des gravures japonaises. Il a beaucoup insisté qu'ils possèdent des beaux exemples de son ami Bonnard.

Les œuvres de Manguin furent exposées à diverses galeries pendant ce temps-là. Octave Maus, l'a invité d'envoyer trois œuvres, *La sieste* incluse, à l'exposition de la Société des XX à Bruxelles de 1906, et il fut représenté en expositions de groupes ainsi qu'à la galerie Druet, N° 20 rue Royale au centre de Paris. C'est là qu'il avait eu une exposition unique en 1909. Il fut représenté dans la grande exposition de 450 tableaux français organizée par l'Institut Français et la revue d'art *Apollon* à St.-Petersbourg. . Ses œuvres ont gagnés l'éloge des critiques tels que Guillaume Apollinaire qui, en 1910, a remarqué que Manguin était un peintre voluptueux. Ses tableaux, dit-il, sont *"d'une sensualité un peu nonchalante,* et ses peintures de nues ont *"une franchise païenne."*

Apollinaire avait raison de louer ses peintures de nues. Des peintures telles que celles-ci, l'on voit son plaisir en observant le charme féminin et son élan pour la composition, suggérant l'influence de Degas sur sa génération de peintres français et qui se voit aussi dans les peintures de nues, de Bonnard. Elles indiquent aussi la façon de laquelle cette génération de peintres français peuvent avoir rapport à l'ècole du dix-huitième siècle, et puis ce n'était pas fortuitement que pendant ce temps-là les collectionneurs aimaient tellement Boucher et ses contemporains.

Manguin s'arrangea à quitter Paris pour travailler à la campagne pendant les mois d'été. Il a passé un été à Sanary (l'endroit ou Derain a peint pendant les années des 1920) et puis de 1912 à 1914, il était à Cassis. Ses lettres à Madame Hahnloser indiquent qu'à cette période il était quelquefois

ness. A half-finished picture was on the easel.

Manguin found his subject-matter and technique when young; and he abandoned neither in subsequent years, remaining impervious to such movements as Cubism or Surrealism. He was sensible not to have forced the pace and try to adjust himself to modernism, for at every period there is room for artists of different generations who remain faithful to their specific vision. This attitude has a highly respectable ancestry; for instance, the many eighteenth-century painters who never foresake the subjects that delighted them and gave pleasure to their patrons. And Manguin was nurtured in the pre-1914 period. It is difficult to point to any real stylistic evolution in his work, but in his later pictures—*La carpe* of 1928 or *Cerises et amandes* of 1936 are good examples—his sense of colour and handling became more refined.

Manguin's life was uneventful. He was happy to sit before his easel and depict some aspect of the world that attracted him. His technique was excellent, as may be seen from the condition of his paintings; he was a proficient water-colourist and an excellent pastellist. There is nothing complicated about his art. It seemed perfectly natural to Manguin to come across a tract of landscape, not yet trodden underfoot by a thousand or more tourists or to expect abundant fish, straight from the sea, good local wine, abundant fruit and that the luncheon table would be laden in a fashion that, for our stricken days, has an almost Lucullan look. What he and many others took for granted is disappearing; more's the pity. Such were his subjects.

Manguin's paintings, straightforward and clear in their intention, assume a sort of double meaning. Their colours and construction give pleasure, but they may perhaps be construed in another way, as a celebration of

mélancolique par rapport avec son œuvre, et puis au mois d'août, 1911, il avoua que sa peinture "le tourmentait énormément, et malgré tous ses efforts, il restait mécontent." Mais on n'observe guère ses inquiétudes ni ses préoccupations, dans ses peintures qui continuent de fêter les plaisirs visuels de la vie.

Les années de guerre n'ont pas distrait Manguin de sa peinture. Avec sa femme, il est allé à Lausanne en 1915 et puis ils ont passés les étés de 1917 et 1918 à Colombier, aux environs de Neufchâtel, et c'est là qu'il a peint des vues raffinées du lac, des tableaux caractérisés, comme l'a noté Pierre Cabanne, par une éspèce de nuances de couleurs qu'il avait découvert plus tôt en Bretagne.

A la fin de la guerre les Manguins sont revenus en France, et il s'est remis comme d'habitude à se retirer au Midi pendant les étés. En 1920, il est revenu à son endroit accoutumé, St.-Tropez, et c'est là ou il a pris une villa, "l'Oustalet." Son cercle de là comprenait Georges Grammont, fondateur du Musée de l'Annonciade, l'auteur Jules Supervielle, et l'acteur Louis Jouvet. Manguin était enthousiaste pour le théatre, et en célébrant tous les Noëls, il emmena sa famille au Théatre du Vieux Colombier. Encore un ami de St.-Tropez était le poète Charles Vildrac, l'auteur de la pièce, "Le Paquebot Tenacity." Il fut aussi le propriétaire d'une petite galerie de la Rive Gauche. Vildrac était bon ami de Roger Fry, qui, lui aussi, demeurait à St.-Tropez pendant les années des 1920, et il connaissait aussi Manguin.

Le dessein de la vie de Manguin est resté presque le même jusqu'à la fin. Il voyagea par toute la France avec sa voiture Buick, cherchant toujours quelque nouveau motif. En 1923 il est resté à l'atelier de Marquet à Marseille, une ville enrichie de thèmes pour le peintre. Pendant les années 1930, il a

Henri Manguin, Madame Hahnloser, K. X. Roussel at Winterthür, between 1915 and 1918
Henri Manguin, Madame Hahnloser, K. X. Roussel à Winterthur, de 1915 à 1918

a delight in gentle living and of a degree of civilization, now more or less vanished; Manguin invites us to contemplate a vanishing age, one that in retrospect has a golden tinge.

Denys Sutton, Editor
Apollo Magazine
London

séjourné en Normandie et en Bretagne. Les Manguins ont demeurés à Neuilly jusqu'à l'année 1938 quand ils ont déménagés à un appartement dans la rue Washington, près du Champs-Elysées. Au début de la guerre, ils ont quittés Paris pour le Midi, séjournant chez leur fils Claude à l'Ile de la Barthelasse, en face d'Avignon, ou Manguin continua sagement sa peinture. Ils ne sont revenus à la capitale qu'à la fin de la guerre. Mais en ce temps-là, Paris était trop pour lui, et il a pris son départ pour St.-Tropez en 1949, et c'est là que sa vie s'est terminée, le 25 september, après une maladie brève. Un tableau à moitié achevé restait sur son chevalet.

Manguin a trouvé sa matière et sa technique quand il était jeune; et il n'a abandonné ni l'un ni l'autre pendant les années suivantes. Il est plutôt resté imperméable aux mouvements tels que le cubisme ou le surréalisme. Il fut bien sage de ne pas se forcer de s'encastrer dans le modernisme, car à n'importe quelle époque il y a de la place pour les artistes de générations différentes qui restent fidèles à leur vision particulière. Cette attitude descend d'une lignée bien estimable; par exemple, le grand nombre de peintres du dix-huitième siècle qui n'abandonnent jamais les sujets qui les ont charmés et qui ont fait plaisir à leurs protecteurs. Et puis Manguin fut instruit dans l'époque précédant 1914. Il est difficile d'indiquer dans son ouvrage aucune vraie évolution de stil, quoique dans ses peintures suivantes—*La carpe* de 1928 ou *Cerises et amandes* de 1936 on trouve de bons exemples—son sens des couleurs et son contrôle sont devenus bien plus raffinés.

La vie de Manguin a manquée d'évènements. Il se contentait de rester assis devant son chevalet à peindre quelque aspect du monde qui l'attirait. Sa technique était excellente, comme l'on peut bien observer de l'état de ses tableaux; il était expert comme aquarelliste et puis aussi excellent comme pastelliste. Il n'y a dans son art

At a café near the "Indépendants"
From left to right: Claude Manguin, Francis Jourdain, Alcide Lebeau, Albert Marquet,
Henri Manguin
Au café, pres des "Indépendants"
De gauche à droite: Claude Manguin, Francis Jourdain, Alcide Lebeau, Albert Marquet,
Henri Manguin

rien de compliqué. Il semblait à Manguin tout-à-fait naturel qu'il trouve un paysage étendu, pas encore écrasé des pieds des milliers de touristes, ou bien, d'attendre des poissons provenants abondamment de la mer, du bon vin du pays, des quantités de fruits, et puis que la table du déjeuner serait chargée d'une façon que, dans nos jours affligés, nous apparait presque Lucullan. Ce que Manguin et bien d'autres ont considérés comme convenu est en train de disparaître; c'est bien dommage! Tels étaient ses thèmes.

Les tableaux de Manguin, directes et distincts en intention, prennent une éspèce de double entendre. Leurs couleurs et leur construction nous apporte le plaisir, mais ils peuvent peutêtre s'interpréter autrement, comme la fête d'une joie de la vie douce ainsi que d'un degré de la civilisation, aujourd'hui plus ou moins évanoui; Manguin nous invite à contempler une époque qui tend à disparaître, et qui en vue rétrospective retient son teint d'or.

Denys Sutton, Editeur
de la Revue Apollon
Londres

The painter Henri Manguin, photographed at l'oustau de Baumaniére
Le peintre Henri Manguin, photographié à l'oustau de Baumaniére

Illustrations
Illustrations

Oil Paintings
Peintures

1. Large Still Life, 1898, 81 × 100 cm.
   Grande nature morte

2. La Percaillerie, 1899, 33 × 41 cm.
   La Percaillerie

3. Mme. Henri Manguin, or Jeanne Wearing a Rose, 1900, 65 × 54 cm.
    Madame Henri Manguin ou Jeanne à la rose

4. Garden, rue Boursault, 1900, 65 × 54 cm.
   Jardin rue Boursault

5. The Black Woman, circa 1902, 80 × 74 cm.
   La négresse, vers 1902

6. Studio Nude, 1903, 92 × 73 cm.
   Nue à l'atelier

7. Mademoiselle Gonzalès, 1904, 116 × 73 cm.
   Mademoiselle Gonzalès

8. At the Window, 1904, 61 × 50 cm.
   Devant la fenêtre

9. The Engravings, 1905, 81 × 100 cm.
   Les gravures

10. The Vale, Saint-Tropez, 1905, 50 × 61 cm.
     Le vallon, Saint-Tropez

11. Jeanne at the Fountain, 1905, 116 × 89 cm.
    Jeanne à la fontaine

12. Lady with a Bunch of Grapes, 1905, 116 × 81 cm.
    La femme à la grappe

13. Self-portrait, 1905, 55 × 46 cm.
    Autoportrait

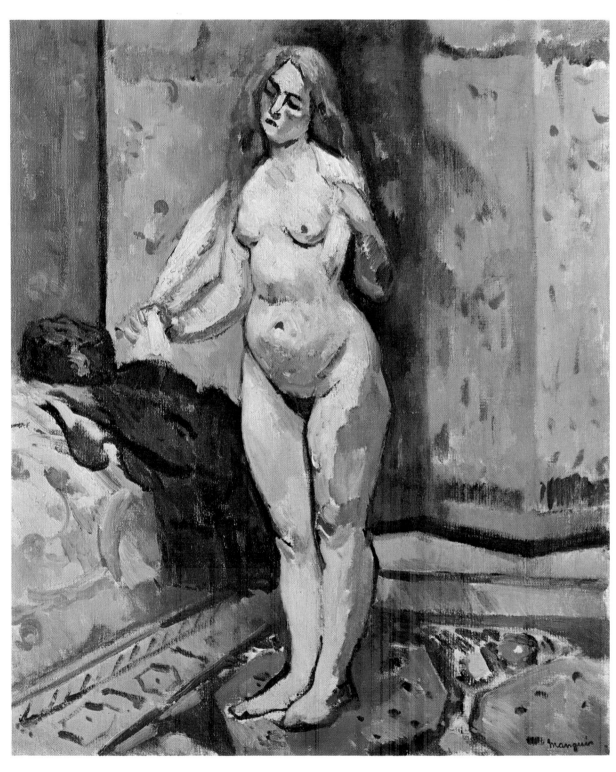

14. The Blind Model, 1905, 55 × 46 cm.
    La modèle aveugle

15. Little Mona Lisa, 1905, 35 × 27 cm.
La petite Joconde

16. The 14th of July at Saint-Tropez, 1905, 61 × 50 cm.
     14 Juillet à Saint-Tropez

     The Harbor—left side
     Le port–côté gauche

17. The 14th of July at Saint-Tropez, 1905, 61 × 50 cm.
14 Juillet à Saint-Tropez

The Harbor—right side
Le port–côté droit

18. The Sleeping Girl, 1905, 33 × 41 cm.
     La dormeuse

19. The Nap, 1905, 50 × 61 cm.
  La sieste

20. The Doe Fawn, 1905, 92 × 73 cm.
   La faunesse

21. Portrait of Jean Puy, 1905, 81 × 65 cm.
Portrait de Jean Puy

22. The Fiasco—Still Life with Chianti, 1905, 24 × 19 cm.
    Le fiasco—nature morte au Chianti

23. The Gypsy-girl in the Studio, 1906, 46 × 55 cm.
    La gitane à l'atelier

24. The Cork Oaks, 1906, 38 × 46 cm.
     Les chênes-lièges

25. Portrait of Lucile Manguin, 1906, 24 × 23 cm.
   Portrait de Lucile Manguin

26. Saint-Tropez Seen from the Demière Villa, 1906, 81 × 65 cm.
   Saint-Tropez vu de la villa Demière

27. The Bathers, 1906, 33 × 41 cm.
   Les baigneuses

28. Stock and Anthemion, 1907, 65 × 55 cm.
Giroflées et anthémis

29. The Woman with the Orange Ribbon, 1907, 41 × 33 cm.
   La femme au ruban orange

30. Hat Decked with Corn-flowers, 1907, 27 × 22 cm.
   La chapeau aux bleuets

31. Windflowers and Jonquils, 1908, 41 × 33 cm.
   Anémones et jonquilles

32. The Windflowers, 1908, 46 × 38 cm.
    Les anémones

33. Claude Manguin with Recorder, 1908, 116 × 89 cm.
Claude Manguin au flutiau

34. Reclining Nude, 1908, 65 × 92 cm.
   Nue couché

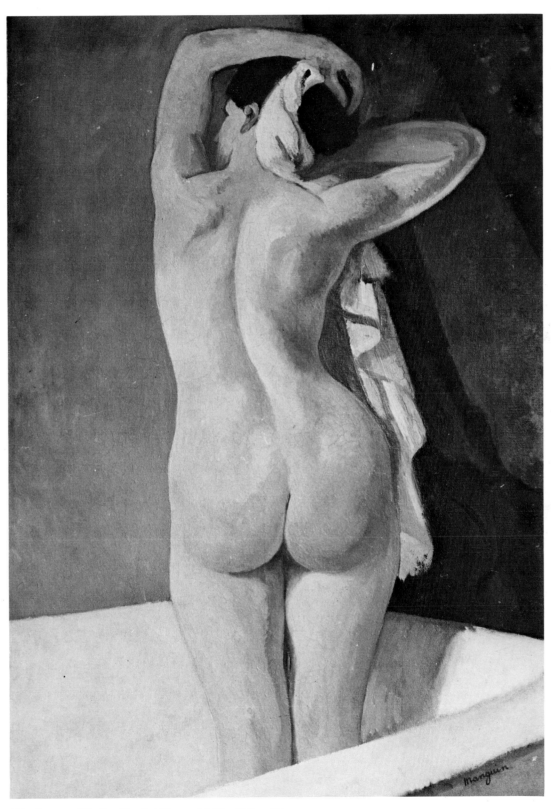

35. Large Nude: Back View, 1909, 116 × 81 cm.
     Grande nue de dos

36. The Wrapped Bouquet, 1909, 65 × 54 cm.
     Le bouquet enveloppé

37. Still Life and Holly, 1910, 81 × 116 cm.
   Nature morte: le houx

38. Jeanne with a Chignon, 1910, 20 × 20 cm.
   Jeanne au chignon

39. Fruit and Silver Pitcher, 1911, 54 × 65 cm.
    Fruits et pichet d'argent

40. Still Life with Oriental Tablecloth, 1912, 81 × 100 cm.
   Nature morte au tapis oriental

41. Petite Odalisque, 1912, 88 × 116.5 cm.
   Petite odalisque

42. Snow-covered Roofs, Lausanne, 1915, 54 × 65 cm.
   Toits sous la neige, Lausanne

43. Dream—Landscape at Colombier, 1917, 54 × 65 cm.
   Paysage de rêve à Colombier

44. La Serviane, 1919, 33 × 41 cm.
   La Serviane

45. Honfleur, 1920, 46 × 38 cm.
   Honfleur

46. Marseilles: the Old Harbor, 1924, 54 × 73 cm.
    Marseille, le vieux port

47. Marseilles: a Cloudy Day, 1924, 41 × 36 cm.
Marseille, temps gris

48. The Orange Tablecloth, 1936, 73 × 92 cm.
    Le tapis orange

49. Cherries and Almonds, 1936, 24 × 33 cm.
   Cerises et amandes

50. Bouquet in a Blue Vase, 1941, 36 × 28 cm.
      Bouquet au vase bleu

51. Scallops in the Shell, 1944, 33 × 41 cm.
    Coquilles Saint-Jacques

Watercolors
Aquarelles

52. Paris Beach, 1902, 28 × 37 cm.
Paris plage

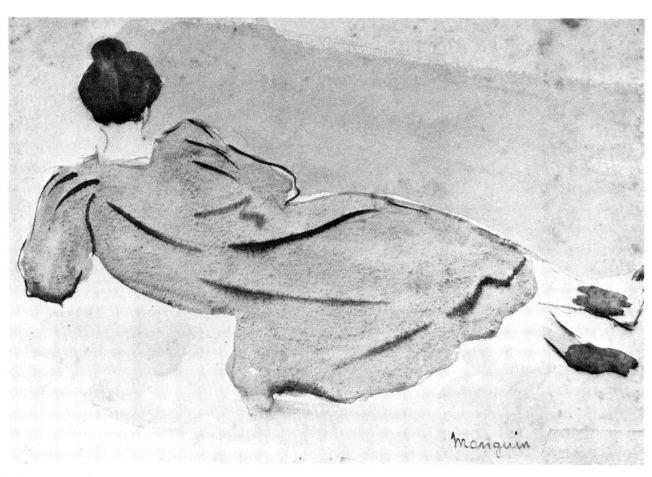

53. Jeanne, the Japanese, 1903, 17 × 25 cm.
Jeanne japonaise

54. Flowers, 1903, 31 × 24 cm.
   Fleurs

55. Sunset over the Gulf, 1905, 15 × 19 cm.
  Golfe au couchant

56. Peaches and Grapes, 1905, 36 × 47 cm.
     Pêches et raisins

57. Livourne, 1909, 17 × 24 cm.
    Livourne

58. Saint-Tropez, 1921, 38 × 48 cm.
Saint-Tropez

59. Saint-Tropez Above "l'Oustalet," 1924, 37 × 47 cm.
    Saint-Tropez au dessus de l'Oustalet

60. Spring Landscape, 1927, 25 × 35 cm.
   Paysage au printemps

61. Concarneau, 1933, 24 × 36 cm.
    Concarneau

Drawings
Dessins

62. Street-singers, 1896, 24 × 27 cm.
  Les chanteurs des rues

63. Jeanne, 1900, 29 × 22 cm.
    Jeanne

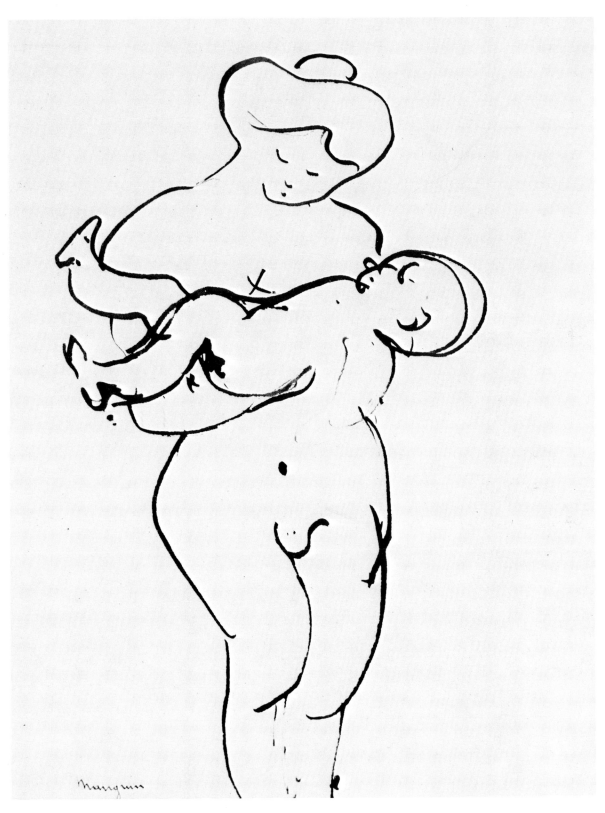

64. Woman and Child, 1901, 27 × 21 cm.
   La femme et l'enfant

65. Woman Wearing Black Stockings, 1901, 24 × 16 cm.
    La femme aux bas noirs

66. Woman Lying Down, 1903, 31 × 48 cm.
     Femme allongée

67. Nude with Black Stockings, 1903, 28 × 22 cm.
   Nue aux bas noirs

68. Child and Donkey, 1903, 23 × 32 cm.
    L'enfant et l'âne

69. Model Dressing, circa 1904, 27 × 21 cm.
   Modèle s'habillant, vers 1904

70. Nude in Fountain, 1905, 27 × 21 cm.
    Nue au bassin

71. Portrait of Jeanne Manguin, 1905, 27 × 21 cm.
      Portrait de Jeanne Manguin

72. Seated Baby, 1905, 27 × 21 cm.
Bébé assis

73. The Coiffure, 1905, 73 × 55 cm.
    La coiffure

74. Self-portrait, undated, 14 × 10 cm.
   Autoportrait, non daté

75. Portrait of Lucile Manguin, 1906, 21 × 16 cm.
  Portrait de Lucile Manguin

76. Woman and Little Boy, 1906, 27 × 21 cm.
   La femme et le petit garçon

77. Bathers at Cavalière, 1906, 38 × 50 cm.
    Les baigneurs à Cavalière

78. Nude on a Couch, 1923, 21 × 27 cm.
    Nue au canapé

79. On the Beach, 1924, 25 × 17 cm.
     Sur la plage

80. Women Bathing, 1927, 27 × 20 cm.
   Les baigneuses

81. Back View of Odette, 1929, 19 × 22 cm.
    Odette de dos

Catalogue
Catalogue

1. Large Still Life
   1898
   Oil on canvas, 81 x 100 cm. Illustrated, black and white, p. 67
   Signed: Manguin, lower right
   Former Ambroise Vollard Collection
   Lucile Manguin Collection.

2. La Percaillerie
   1899
   Oil on canvas, 33 x 41 cm. Illustrated, black and white, p. 68
   Signed: Manguin, lower right
   Note: It was at La Percaillerie, near Cherbourg, that Manguin first met Jeanne Carette, who later became his wife.
   Exhibitions: "Manguin," Galerie Montmorency, Paris, 1958, no. 5
   "Manguin Fauve," Galerie de Paris, 1962
   Private Collection, Paris.

3. Mme. Henri Manguin, or Jeanne Wearing a Rose
   1900
   Oil on canvas, 65 x 54 cm. Illustrated, color, p. 69
   Signed: Manguin 1900, lower right
   Historical note: May 12, 1901, critique by M. de Maurceley, Room II:
   "Let us pause a moment to laugh a bit—not too loudly, however, let's be discreet—at the woman's portrait (no. 613) by M. Henri Manguin. Against a background the color of raw spinach, a woman of questionable age stands out, wearing a white peignoir, her neck slashed by a rosy line which looks as much like the cut of a guillotine blade as it does a necklace."
   Exhibitions: "Manguin," Musée Toulouse-Lautrec, Albi, 1957, no. 1
   "Manguin," Galerie Motte, Geneva, 1958, no. 2
   "Manguin," Musée des Beaux-Arts, Neuchâtel, 1964, no. 5, reproduced

1. Grande nature morte
   1898
   Huile sur toile, 81 x 100 cm. Illustré, en noir sur blanc, page 67
   Signé en bas à droite: Manguin
   Ancienne collection Ambroise Vollard
   Collection Lucile Manguin.

2. La Percaillerie
   1899
   Huile sur toile, 33 x 41 cm. Illustré, en noir sur blanc, page 68
   Signé en bas à droite: Manguin
   Historique: C'est à La Percaillerie, près de Cherbourg que Manguin rencontra Jeanne Carette, qui devint sa femme.
   Expositions: "Manguin", Galerie Montmorency, Paris, 1958, n⁰ 5
   "Manguin Fauve", Galerie de Paris, 1962
   Collection particulière, Paris.

3. Madame Henri Manguin ou Jeanne à la rose
   1900
   Huile sur toile, 65 x 54 cm. Illustré, en couleurs, page 69
   Signé en bas, à droite: Manguin 1900
   Historique: 12 mai 1901, critique de M. de Maurceley, Salle II:
   "Arrêtons-nous pour rire un peu—pas trop haut cependant, soyons discrets—devant le portrait d'une femme (n⁰ 613) de M. Henri Manguin. Sur fond d'épinards crus, une femme d'un certain âge se détache, vêtue d'un peignoir blanc, le cou balafré d'une ligne de corail qui donne aussi bien l'impression du passage de l'acier d'une guillotine que celle d'un collier."
   Expositions: "Manguin", Musée Toulouse-Lautrec, Albi, 1957, n⁰ 1
   "Manguin", Galerie Motte, Genève, 1958, n⁰ 2
   "Manguin", Musée des Beaux-Arts, Neuchâtel, 1964, n⁰ 5, reproduit

"Hommage à Manguin," Mairie de Montrouge, 1967, no. 4, reproduced
"Manguin," Palais de la Méditerranée, Nice, 1969, no. 3
"Manguin," Musée des Beaux-Arts, La Rochelle, 1969, no. 1
"Manguin," Kunsthalle, Düsseldorf, 1969, no. 2
"Manguin," Kunstverein, Berlin, 1970, no. 1
Bibliography: "L'Art d'aujourd'hui," 1929, no. 42, reproduced
J. P. Crespelle, "Les Fauves," Ides et Calendes, 1962, pl. no. 84, reproduced
Pierre Cabanne, "Henri Manguin," Ides et Calendes, 1964, pl. no. 1
"La Galerie des Arts," 1969, no. 68, reproduced
Former Ambroise Vollard Collection
Lucile Manguin Collection.

4. Garden, rue Boursault
    1900
    Oil on canvas, 65 x 54 cm. Illustrated, black and white, p. 70
    Signed: Manguin, lower right
    Exhibitions: "Salon des Indépendants," Paris, 1903, no. 1597
    Galerie Weill, Paris, 1904, no. 14
    "La vie familiale," Galerie Charpentier, Paris, 1944
    "Manguin," Galerie Motte, Geneva, 1958, no. 3
    Former Ambroise Vollard Collection
    Private Collection.

5. The Black Woman
    circa 1902
    Oil on canvas, 80 x 74 cm. Illustrated, color, p. 71
    Signed: Manguin, lower right
    Exhibitions: "Manguin," Galerie Motte, Geneva, 1958, no. 6
    "Manguin Fauve," Galerie de Paris, 1962, no. 1

"Hommage à Manguin", Mairie de Montrouge, 1967, nº 4, reproduit
"Manguin", Palais de la Méditerranée, Nice, 1969, nº 3
"Manguin", Musée des Beaux-Arts, La Rochelle, 1969, nº 1
"Manguin", Kunsthalle, Dusseldorf, 1969, nº 2
"Manguin", Kunstverein, Berlin, 1970, nº 1
Bibliographie: "L'Art d'aujourd'hui", 1929, nº 42, reproduit
J. P. Crespelle, "Les Fauves", Ides et Calendes, 1962, pl. nº 84, reproduit
Pierre Cabanne, "Henri Manguin", Ides et Calendes, 1964, pl. nº 1
"La Galerie des Arts", 1969, nº 68, reproduit
Ancienne collection Ambroise Vollard
Collection Lucile Manguin.

4. Jardin, rue Boursault
    1900
    Huile sur toile, 65 x 54 cm. Illustré, en noir sur blanc, page 70
    Signé en bas à droite: Manguin
    Expositions: "Salon des Indépendants," Paris, 1903, nº 1597
    Galerie Weill, Paris, 1904, nº 14
    "La vie familiale", Galerie Charpentier, Paris, 1944
    "Manguin", Galerie Motte, Genève, 1958, nº 3
    Ancienne collection Ambroise Vollard
    Collection particulière.

5. La négresse
    vers 1902
    Huile sur toile, 80 x 74 cm. Illustré, en couleurs, page 71
    Signé en bas à droite: Manguin
    Expositions: "Manguin", Galerie Motte, Genève, 1958, nº 6
    "Manguin Fauve", Galerie de Paris, 1962, nº 1

"Manguin," Palais de la Méditerranée, Nice, 1969, no. 33
Private Collection, Paris.

6. Studio Nude
1903
Oil on canvas, 92 x 73 cm. Illustrated, black and white, p. 72
Signed: Manguin 1902, lower left
Historical note: The man that can be seen behind the model (and whose silhouette is reflected in the mirror) is the painter Marquet who often came to work in Manguin's studio.
Exhibitions: "Gustave Moreau et ses élèves," Musée Cantini, Marseilles, 1963, no. 34
"Manguin Fauve," Galerie de Paris, 1962, no. 4
"Manguin," Musée des Beaux-Arts, Neuchâtel, 1964, no. 13
"Manguin," Château-musée de Cagnes, 1965, no. 5
"Les Fauves," Tokyo, 1965, no. 34, reproduced
"Haus der Kunst," Munich, 1966, no. 57
"Le Fauvisme français et les débuts de l'expressionisme allemand," Musée d'Art Moderne, Paris, 1966
Grand Palais, Paris, 1967, no. 56
"Hommage à Manguin," Mairie de Montrouge, 1967, no. 13, reproduced
"Valtat et ses amis,"Charleroi, 1967/68, no. 33, reproduced
"Manguin," Palais de la Méditerranée, Nice, 1969, no. 5, reproduced
"Manguin," Kunsthalle, Düsseldorf, 1969, no. 6, reproduced
"Maître et modèle," Kunsthalle, Baden-Baden, 1969, no. 116, reproduced
"Manguin," Galerie Yoshii, Tokyo, 1970, no. 6, reproduced
Bibliography: Gazette des Beaux-Arts, May 1963, no. 11
Lucile Manguin Collection.

"Manguin", Palais de la Méditerranée, Nice, 1969, n⁰ 33
Collection particulière, Paris.

6. Nue à l'atelier
1903
Huile sur toile, 92 x 73 cm. Illustré, en noir sur blanc, page 72
Signé en bas à gauche: Manguin 1903
Historique: L'homme vu derrière le modèle (et dont la silhouette se reflète dans la glace) est le peintre Marquet qui venait souvent travailler dans l'atelier de Manguin.
Expositions: "Gustave Moreau et ses élèves", Musée Cantini, Marseille, 1963, n⁰ 34
"Manguin Fauve", Galerie de Paris, 1962, n⁰ 4
"Manguin", Musée des Beaux-Arts, Neuchâtel, 1964, n⁰ 13
"Manguin", Château-musée de Cagnes, 1965, n⁰ 5
"Les Fauves", Tokyo, 1965, n⁰ 34, reproduit
"Haus der Kunst", Munich, 1966, n⁰ 57
"Le Fauvisme français et les débuts de l'expressionisme allemand", Musée d'Art Moderne, Paris, 1966
Grand Palais, Paris, 1967, n⁰ 56
"Hommage à Manguin", Mairie de Montrouge, 1967, n⁰ 13, reproduit
"Valtat et ses amis", Charleroi, 1967/68, n⁰ 33, reproduit
"Manguin", Palais de la Méditerranée, Nice, 1969, n⁰ 5, reproduit
"Manguin", Kunsthalle, Dusseldorf, 1969, n⁰ 6, reproduit
"Maître et modèle", Kunsthalle, Baden-Baden, 1969, n⁰ 116, reproduit
"Manguin", Galerie Yoshii, Tokyo, 1970, n⁰ 6, reproduit
Bibliographie: Gazette des Beaux-Arts, Mai 1963, n⁰ 11
Collection Lucile Manguin.

7. Mademoiselle Gonzalès
1904
Oil on canvas, 116 x 73 cm. Illustrated,
black and white, p. 73
Signed: Manguin 1904, lower left
Exhibitions: "Salon des Indépendants,"
no. 2056
"Manguin," Galerie Brame, Paris, 1954,
no. 26
"Manguin," Galerie L. Blanc, Aix-en-
Provence, 1961, no. 21
"Manguin Fauve," Galerie de Paris,
1962, no. 5
"Manguin," Musée des Beaux-Arts,
Neuchâtel, 1964, no. 16, reproduced
"Manguin," Palais de la Méditerranée,
Nice, 1969, no. 6
"Manguin," Kunsthalle, Düsseldorf,
1969, no. 8
"Manguin," Kunstverein, Berlin, 1970,
no. 7
Bibliography: L'Art d'aujourd'hui, 1929,
no. 44, reproduced
Former Druet Collection
Private Collection.

8. At the Window
1904
Oil on canvas, 61 x 50 cm. Illustrated,
color, p. 74
Signed: Manguin 1904, lower left
Exhibitions: "Salon des Indépendants,"
no. 1970
"Autour de 1900," Galerie Charpentier,
Paris, 1950, no. 113
"Les Fauves," Kunsthalle, Berne, 1950,
no. 63
"Salon des Indépendants," 1950, Paris,
no. 1408
"Manguin," Galerie Brame, Paris, 1954,
no. 7
"Manguin," Musée Toulouse-Lautrec,
Albi, 1957, no. 7
"Triumph der Farbe," Berlin, 1959,
no. 65
"Triumph der Farbe," Schaffhausen,
1959, no. 65

7. Mademoiselle Gonzalès
1904
Huile sur toile, 116 x 73 cm. Illustré, en
noir sur blanc, page 73
Signé en bas à gauche: Manguin 1904
Expositions: "Salon des Indépendants",
n⁰ 2056
"Manguin", Galerie Brame, Paris, 1954,
n⁰ 26
"Manguin", Galerie L. Blanc, Aix-en-
Provence, 1961, n⁰ 21
"Manguin", Galerie de Paris, 1962, n⁰ 5
"Manguin", Musée des Beaux-Arts,
Neuchâtel, 1964, n⁰ 16, reproduit
"Manguin", Palais de la Méditerranée,
Nice, 1969, n⁰ 6
"Manguin", Kunsthalle, Dusseldorf,
1969, n⁰ 8
"Manguin", Kunstverein, Berlin, 1970,
n⁰ 7
Bibliographie: L'Art d'aujourd'hui,
1929, n⁰ 44, reproduit
Ancienne collection Druet
Collection particulière.

8. Devant la fenêtre
1904
Huile sur toile, 61 x 50 cm. Illustré, en
couleurs, page 74
Signé en bas, à gauche: Manguin 1904
Expositions: "Salon des Indépendants",
n⁰ 1970
"Autour de 1900", Galerie Charpentier,
Paris, 1950, n⁰ 113
"Les Fauves", Kunsthalle, Berne, 1950,
n⁰ 63
"Salon des Indépendants", 1950, Paris
n⁰ 1408
"Manguin", Galerie Brame, Paris, 1954,
n⁰ 7
"Manguin", Musée Toulouse-Lautrec,
Albi, 1957, n⁰ 7
"Triumph der Farbe", Berlin, 1959,
n⁰ 65
"Triumph der Farbe", Schaffhausen,
1959, n⁰ 65

"Manguin," Galerie L. Blanc, Aix-en-Provence, 1961, no. 12
"Les Fauves," Galerie Charpentier, Paris, 1962, no. 73
"Manguin," Musée des Beaux-Arts, Neuchâtel, 1964, no. 17
"Les Fauves," Tokyo, 1965, no. 37, reproduced
"Manguin," Palais de la Méditerranée, Nice, 1969, no. 7
"Le Fauvisme dans l'art du XXème Siècle," Malines, 1969
"Manguin," Galerie Yoshii, Tokyo, 1970, no. 8 reproduced
"Le mouvement et la vie," Fondation Mercèdes-Benz, Paris, 1971, reproduced
Bibliography: Pierre Cabanne, "Henri Manguin," Ides et Calendes, 1964, pl. no. 5
"Chefs d'oeuvre de l'Art," no. 128
La Galerie des Arts, 1969, pl. no. 68
Connaissance des Arts, 1971
Former Collections of Ambroise Vollard, Bernheim Jeune, George Couturat
Private Collection, Paris.

9. The Engravings
1905
Oil on canvas, 81 x 100 cm. Illustrated, color, p. 75
Signed: Manguin, lower right
Exhibitions: "Salon des Indépendants," Paris, 1905, no. 2642
"Salon des Indépendants," Paris, 1906, no. 3246
"Manguin," Galerie Druet, Paris, 1910, no. 27, reproduced
"Salon des Indépendants," Paris, 1926, no. 1657
"Valtat et ses amis," Palais des Beaux-Arts, Charleroi, 1967, no. 43, reproduced
"Manguin," Grenier à sel, Honfleur, 1968, no. 7, reproduced
"Manguin," Palais de la Méditerranée, 1968, no. 8, reproduced

"Manguin", Galerie L. Blanc, Aix-en-Provence, 1961, n⁰ 12
"Les Fauves", Galerie Charpentier, Paris, 1962, n⁰ 73
"Manguin", Musée des Beaux-Arts, Neuchâtel, 1964, n⁰ 17
"Les Fauves", Tokyo, 1965, n⁰ 37, reproduit
"Manguin", Palais de la Méditerranée, Nice, 1969, n⁰ 7
"Le Fauvisme dans l'art du XXème siècle", Malines, 1969
"Manguin", Galerie Yoshii, Tokyo, 1970, n⁰ 8, reproduit
"Le mouvement et la vie", Fondation Mercèdes-Benz, Paris, 1971, reproduit
Bibliographie: Pierre Cabanne, "Henri Manguin", Ides et Calendes, 1964, pl. n⁰ 5
"Chefs d'oeuvre de l'Art", n⁰ 128
La Galerie des Arts, 1969, pl. n⁰ 68
Connaisssance des Arts, 1971
Anciennes collections Ambroise Vollard, Bernheim Jeune, George Couturat
Collection particulière, Paris.

9. Les gravures
1905
Huile sur toile, 81 x 100 cm. Illustré, en couleurs, page 75
Signé en bas à droite: Manguin
Expositions: "Salon des Indépendants", Paris, 1905, n⁰ 2642
"Salon des Indépendants", Paris, 1906, n⁰ 3246
"Manguin", Galerie Druet, Paris, 1910, n⁰ 27, reproduit
"Salon des Indépendants", Paris, 1926, n⁰ 1657
"Valtat et ses amis", Palais des Beaux-Arts, Charleroi, 1967, n⁰ 43, reproduit
"Manguin", Grenier à sel, Honfleur, 1968, n⁰ 7, reproduit
"Manguin", Palais de la Méditerranée, 1968, n⁰ 8, reproduit

"Manguin," Musée des Beaux-Arts, La Rochelle, 1969, no. 5, reproduced
"Manguin," Kunsthalle, Düsseldorf, 1969, no. 13
"Manguin," Kunstverein, Berlin, 1970, no. 12
Bibliography: La Galerie des Arts, 1969, no. 68
Lucile Manguin Collection.

10. The Vale, Saint-Tropez
1905
Oil on canvas, 50 x 61 cm. Illustrated, color, p. 76
Signed: Manguin, lower right
Historical note: Manguin here painted the view that he had from his first house in Saint-Tropez.
Exhibitions: Traveling Exhibition in Germany: Munich, Frankfurt, Dresden, Karlsruhe, Stuttgart, 1906–1907
"Manguin," Kunsthalle, Düsseldorf, 1969, no. 31
"Manguin," Kunstverein, Berlin, 1970, no. 32
Private Collection, Paris.

11. Jeanne at the Fountain
1905
Oil on canvas, 116 x 89 cm. Illustrated, black and white, p. 77
Signed: Manguin, lower right
Exhibition: "Salon d'Automne," Paris, 1904, no. 892
Former Vollard Collection
Private Collection.

12. Lady with a Bunch of Grapes
1905
Oil on canvas, 116 x 81 cm. Illustrated, black and white, p. 78
Signed: Manguin 1905, lower right
Exhibitions: "Salon d'Automne," Paris, 1907, no. 1181

"Manguin", Musée des Beaux-Arts, La Rochelle, 1969, n° 5, reproduit
"Manguin", Kunsthalle, Dusseldorf, 1969, n° 13
"Manguin", Kunstverein, Berlin, 1970, n° 12
Bibliographie: La Galerie des Arts, 1969, n° 68
Collection Lucile Manguin.

10. Le vallon, Saint-Tropez
1905
Huile sur toile, 50 x 61 cm. Illustré, en couleurs, page 76
Signé en bas à droite: Manguin
Historique: Manguin a peint la vue qu'il avait de la première maison occupée à Saint-Tropez.
Expositions: Exposition itinérante en Allemagne: Munich, Francfort, Dresde, Karlsruhe, Stuttgart, 1906–1907
"Manguin", Kunsthalle, Dusseldorf, 1969, n° 31
"Manguin", Kunstverein, Berlin, 1970, n° 32
Collection particulière, Paris.

11. Jeanne à la fontaine
1905
Huile sur toile, 116 x 89 cm. Illustré, en noir sur blanc, page 77
Signé en bas à droite: Manguin
Exposition: "Salon d'Automne", Paris, 1904, n° 892
Ancienne collection Vollard
Collection particulière.

12. La femme à la grappe
1905
Huile sur toile, 116 x 81 cm. Illustré, en noir sur blanc, page 78
Signé en bas à droite: Manguin 1905.
Expositions: "Salon d'Automne", Paris, 1907, n° 1181

"Manguin," Galerie Druet, Paris, 1910, no. 4
"Salon des Indépendants," Paris, 1926 no. 1658
"Maîtres de l'Art Indépendant," Paris, 1937, no. 1
"Cent chefs d'oeuvre," Galerie Charpentier, Paris, 1946
Henri Manguin "Toiles Fauves," Galerie de Paris, 1958, no. 3
Bibliography: Gazette des Beaux-Arts, 1907, p. 403, reproduced
Raymond Nacenta, "L'Ecole de Paris," Seghers Editions, p. 326, reproduced
Pierre Cabanne, "Manguin," Ides et Calendes, 1964, pl. no. 69
Private Collection.

13. Self-portrait
1905
Oil on canvas, 55 x 46 cm. Illustrated, color, p. 79
Unsigned
Exhibitions: "Manguin," Galerie Brame, Paris, 1954, no. 29
"Manguin," Musée Toulouse-Lautrec, Albi, 1957, no. 15, reproduced
"Rétrospective de 1903 à 1908," Salon d'Automne, Paris, 1958
"Manguin," Galerie Motte, Geneva, 1958, no. 20, reproduced
"Manguin," Galerie Montmorency, Paris, 1958, no. 12
Musée Calvet, Avignon, 1959, no. 60
"Triumph der Farbe," Berlin, 1959
"Triumph der Farbe," Schaffhausen, 1959
"Manguin," Galerie L. Blanc, Aix-en-Provence, 1961, no. 1
"Gustave Moreau et ses élèves," Musée Cantini, Marseilles, 1962, no. 35, reproduced
"Manguin Fauve," Galerie de Paris, 1962, no. 10, reproduced
"Manguin," Musée des Beaux-Arts, Neuchâtel, 1964, no. 30, reproduced

"Manguin", Galerie Druet, Paris, 1910, n° 4
"Salon des Indépendants," Paris, 1926, n° 1658
"Maîtres de l'Art Indépendant", Paris, 1937, n° 1
"Cent chefs d'oeuvre", Galerie Charpentier, Paris, 1946
Henri Manguin "Toiles Fauves", Galerie de Paris, 1958, n° 3
Bibliographie: Gazette des Beaux-Arts, 1907, p. 403, reproduit
Raymond Nacenta, "LEcole de Paris", Editions Seghers, p. 326, reproduit
Pierre Cabanne, "Manguin", Ides et Calendes, 1964, p. n° 69
Collection particulière.

13. Autoportrait
1905
Huile sur toile, 55 x 46 cm. Illustré, en couleurs, page 79
Non signé
Expositions: "Manguin", Galerie Brame, Paris, 1954, n° 29
"Manguin", Musée Toulouse-Lautrec, Albi, 1957, n° 15, reproduit
"Rétrospective de 1903 à 1908", Salon d'Automne, Paris, 1958
"Manguin", Galerie Motte, Genève, 1958, n° 20, reproduit
"Manguin", Galerie Montmorency, Paris, 1958, n° 12
Musée Calvet, Avignon, 1959, n° 60
"Triumph der Farbe", Berlin, 1959
"Triumph der Farbe", Schaffhausen, 1959
"Manguin", Galerie L. Blanc, Aix-en-Provence, 1961, n° 1
"Gustave Moreau et ses élèves", Musée Cantini, Marseille, 1962, n° 35, reproduit
"Manguin Fauve", Galerie de Paris, 1962, n° 10, reproduit
"Manguin", Musée des Beaux-Arts, Neuchâtel, 1964, n° 30, reproduit

"Manguin," Château-musée de Cagnes, 1965, no. 14

"Les Fauves," Tokyo, 1965, no. 35, reproduced

"Henri Manguin," Galerie Tooth, London, 1966, no. 15

"Hommage à Manguin," Mairie de Montrouge, 1967, reproduced

"Lumières de l'Eté," Galerie de Paris, 1967

"Henri Manguin," Grenier à sel, Honfleur, 1968

"Valtat et ses amis," Charleroi, 1967, no. 37, reproduced

"Le Fauvisme dans l'art du XXème Siècle," Malines, 1969

"Manguin," Palais de la Méditerranée, Nice, 1969, no. 12

"Manguin," Galerie Yoshii, Tokyo, 1970

Bibliography: Pierre Cabanne, "Manguin," Ides et Calendes, 1964, pl. no. 16

Gaston Diehl, "Les Fauves," Nouvelles éditions françaises, 1971, p. 97

La Galerie des Arts, 1969, no. 68

Lucile Manguin Collection.

14. The Blind Model
1905
Oil on canvas, 55 x 46 cm. Illustrated, color, p. 80
Signed: Manguin, lower right
Exhibitions: "Manguin," Galerie Brame, Paris, 1954, no. 11

"Manguin," Musée Toulouse-Lautrec, Albi, 1957, no. 14

"Triumph der Farbe," Berlin, 1959, no. 68

"Triumph der Farbe," Schaffhausen, 1959, no. 68

"Les Fauves," Galerie de Paris, 1962, no. 12

"Manguin," Musée des Beaux-Arts, Neuchâtel, 1964, no. 31

Galerie du Théâtre, Geneva, 1969, no. 21, reproduced

"Manguin," Palais de la Méditerranée, Nice, 1969, no. 13

"Manguin", Château-musée de Cagnes, 1965, n⁰ 14

"Les Fauves", Tokyo, 1965, n⁰ 35, reproduit

"Henri Manguin", Galerie Tooth, Londres, 1966, n⁰ 15

"Hommage à Manguin", Mairie de Montrouge, 1967, reproduit

"Lumières de l'Eté", Galerie de Paris, 1967

"Henri Manguin", Grenier à sel, Honfleur, 1968

"Valtat et ses amis", Charleroi, 1967, n⁰ 37, reproduit

"Le Fauvisme dans l'art du XXème siècle", Malines, 1969

"Manguin", Palais de la Méditerranée, Nice, 1969, n⁰ 12

"Manguin", Galerie Yoshii, Tokyo, 1970

Bibliographie: Pierre Cabanne, "Manguin", Ides et Calendes, 1964, pl. n⁰ 16

Gaston Diehl, "Les Fauves", Nouvelles éditions françaises, 1971, p. 97

La Galerie des Arts, 1969, n⁰ 68

Collection Lucile Manguin.

14. Modèle aveugle
1905
Huile sur toile, 55 x 46 cm. Illustré, en couleurs, page 80
Signé en bas à droite: Manguin
Expositions: "Manguin", Galerie Brame, Paris, 1954, n⁰ 11

"Manguin", Musée Toulouse-Lautrec, Albi, 1957, n⁰ 14

"Triumph der Farbe", Berlin, 1959, n⁰ 68

"Triumph der Farbe", Schaffhausen, 1959, n⁰ 68

"Les Fauves", Galerie de Paris, 1962, n⁰ 12

"Manguin", Musée des Beaux-Arts, Neuchâtel, 1964, n⁰ 31

Galerie du Théâtre, Genève, 1969, n⁰ 21, reproduit

"Manguin", Palais de la Méditerranée, Nice, 1969, n⁰ 13

"Manguin," Kunsthalle, Düsseldorf, 1969, no. 18
"Manguin," Kunstverein, Berlin, 1970, no. 18
Bibliography: Pierre Cabanne, "Manguin," Ides et Calendes, 1964, pl. no. 56
Collection of the Galerie de Paris.

15. Little Mona Lisa
1905
Oil on panel, 35 x 27 cm. Illustrated, black and white, p. 81
Signed: Manguin, lower right
Exhibitions: "Les Fauves," Kunsthalle, Berne, 1950, no. 71
Manguin "Toiles Fauves," Galerie de Paris, 1958, no. 10
"Manguin," Galerie Motte, Geneva, 1958, no. 10
"Manguin," Galerie Montmorency, Paris, 1958, no. 4
"Manguin," Galerie L. Blanc, Aix-en-Provence, 1961, no. 15
"Manguin Fauve," Galerie de Paris, 1962, no. 20
"Manguin," Musée des Beaux-Arts, Neuchâtel, 1964, no. 29, reproduced
"Manguin," Château-musée de Cagnes, 1965, no. 13
"Manguin," Galerie du Théâtre, Geneva, 1969, no. 4, reproduced
"Manguin," Palais de la Méditerranée, Nice, 1969, no. 52
"Manguin," Kunsthalle, Düsseldorf, 1969, no. 16
"Manguin," Galerie Yoshii, Tokyo, 1970, no. 11
Bibliography: Pierre Cabanne, "Manguin," Ides et Calendes, 1964, pl. no. 17
Private Collection, Paris.

16. The 14th of July at Saint-Tropez
The Harbor—left side
1905
Oil on canvas, 61 x 50 cm. Illustrated, color, p. 82

"Manguin", Kunsthalle, Dusseldorf, 1969, nᵒ 18
"Manguin", Kunstverein, Berlin, 1970, nᵒ 18
Bibliographie: Pierre Cabanne, "Manguin", Ides et Calendes, 1964, pl. nᵒ 56
Collection Galerie de Paris.

15. La petite joconde
1905
Huile sur panneau, 35 x 27 cm. Illustré, en noir sur blanc, page 81
Signé en bas à droite: Manguin
Expositions: "Les Fauves", Kunsthalle, Berne, 1950, nᵒ 71
Manguin "Toiles Fauves", Galerie de Paris, 1958, nᵒ 10
"Manguin", Galerie Motte, Genève, 1958, nᵒ 10
"Manguin", Galerie Montmorency, Paris, 1958, nᵒ 4
"Manguin", Galerie L. Blanc, Aix-en-Provence, 1961, nᵒ 15
"Manguin Fauve", Galerie de Paris, 1962, nᵒ 20
"Manguin", Musée des Beaux-Arts, Neuchâtel, 1964, nᵒ 29, reproduit
"Manguin", Chateau-musée de Cagnes, 1965, nᵒ 13
"Manguin", Galerie du Théâtre, Genève, 1969, nᵒ 4, reproduit
"Manguin", Palais de la Méditerranée, Nice, 1969, nᵒ 52
"Manguin", Kunsthalle, Dusseldorf, 1969, nᵒ 16
"Manguin", Galerie Yoshii, Tokyo, 1970, nᵒ 11
Bibliographie: Pierre Cabanne, "Manguin", Ides et Calendes, 1964, p. nᵒ 17
Collection particulière, Paris.

16. 14 Juillet à Saint-Tropez
Le port—côté gauche
1905
Huile sur toile, 61 x 50 cm. Illustré, en couleurs, page 82

Signed: Manguin 1905, lower left
Exhibitions: Group Exhibition (Camoin, Derain, Dufy, Manguin, Marquet, Matisse, Vlaminck), Galerie Weill, Paris, 1905
"Salon des Indépendants," Paris, 1906, no. 3250
"Les Fauves," Galerie de France, Paris, 1942, no. 21
Galerie Pétridès, 1943, no. 15
"Le Fauvisme," Kunsthalle, Berne, 1948, no. 64
"Salon d'Automne," Paris, 1950, no. 2074
"Les Fauves," Kunsthalle, Berne, 1950, no. 74
"Le Fauvisme," Galerie Charpentier, 1951, no. 72, Paris
"Le Fauvisme," Musée d'Art Moderne, Paris, 1951
"Manguin," Galerie Brame, 1954, no. 1
"Depuis Bonnard," Musée d'Art Moderne, Paris, 1957
"Manguin," Galerie Motte, Geneva, 1958, no. 25
"Triumph der Farbe," Berlin, 1959, no. 67
"Triumph der Farbe," Schaffhausen, 1959, no. 67
Manguin "Peintures de Saint-Tropez," Galerie de Paris, 1960, no. 4
"Manguin," Galerie L. Blanc, Aix-en-Provence, 1961, no. 8, reproduced
"Les Amis de Saint-Tropez," Galerie de Paris, 1961, no. 36, reproduced
"Les Fauves," Galerie Charpentier, 1962, no. 74
"1 Siècle de Proteste," Fondation Gulbenkian, Lisbon, 1965, no. 86
"Le paysage français de Cézanne à nos jours," Musée Boymans van Beunigen, Rotterdam, 1963, no. 63
"Le Midi des Peintres," Palais de la Méditerranée, Nice, 1964, no. 54
"Manguin," Musée des Beaux-Arts, Neuchâtel, 1964, no. 35, reproduced
"Les Fauves," Tokyo, 1965, no. 32

Signé en bas à gauche: Manguin 1905
Expositions: Exposition de groupe (Camoin, Derain, Dufy, Manguin, Marquet, Matisse, Vlaminck), Galerie Weill, Paris, 1905
"Salon des Indépendants", Paris, 1906, n⁰ 3250
"Les Fauves", Galerie de France, Paris, 1942, n⁰ 21
Galerie Pétridès, 1943, n⁰ 15
"Le Fauvisme", Kunsthalle, Berne, 1948, n⁰ 64
"Salon d'Automne", Paris, 1950, n⁰ 2074
"Les Fauves", Kunsthalle, Berne, 1950, n⁰ 74
"Le Fauvisme", Galerie Charpentier, 1951, n⁰ 72, Paris
"Le Fauvisme", Musée d'Art Moderne, Paris, 1951
"Manguin", Galerie Brame, 1954, n⁰ 1
"Depuis Bonnard", Musée d'Art Moderne, Paris, 1957
"Manguin", Galerie Motte, Genève, 1958, n⁰ 25
"Triumph der Farbe", Berlin, 1959, n⁰ 67
"Triumph der Farbe", Schaffhausen, 1959, n⁰ 67
Manguin "Peintures de Saint-Tropez", Galerie de Paris, 1960, n⁰ 4
"Manguin", Galerie L. Blanc, Aix-en-Provence, 1961, n⁰ 8, reproduit
"Les Amis de Saint-Tropez", Galerie de Paris, 1961, n⁰ 36, reproduit
"Les Fauves", Galerie Charpentier, 1962, n⁰ 74
"1 Siècle de Proteste", Fondation Gulbenkian, Lisbonne, 1965, n⁰ 86
"Le paysage français de Cézanne à nos jours", Musée Boymans van Beunigen, Rotterdam, 1963, n⁰ 63
"Le Midi des Peintres", Palais de la Méditerranée, Nice, 1964, n⁰ 54
"Manguin", Musée des Beaux-Arts, Neuchâtel, 1964, n⁰ 35, reproduit
"Les Fauves", Tokyo, 1965, n⁰ 32

"Variations," Recklinghausen, 1966, no. 24, reproduced
"Manguin," Galerie Tooth, London, 1966, no. 7
"Le Fauvisme français," Munich, 1966, no. 59
"Le Fauvisme français," Musée National d'Art Moderne, Paris, 1966, no. 59, reproduced
"Hommage à Manguin," Mairie de Montrouge, 1967
"Les Lumières de l'Eté," Galerie de Paris, 1967
"Autour du Fauvisme: Valtat et ses amis," Palais des Beaux-Arts, Charleroi, 1967, no. 35, reproduced
"Manguin," Grenier à sel, Honfleur, 1968, no. 5
"Le Fauvisme dans l'art de XXème Siècle," Malines, 1969
"Manguin," Palais de la Méditerranée, Nice, 1969, no. 16, reproduced
"Manguin," Kunstverein, Berlin, 1970, no. 23, reproduced
Bibliography: J. Leymarie, "Le Fauvisme," Skira, p. 62
J. P. Crespelle, "Les Fauves," Ides et Calendes, 1962, pl. no. 81
J. E. Muller, "Fauvism," Thames and Hudson, 1967, pl. no. 110
Pierre Cabanne, "Manguin," Ides et Calendes, 1964, pl. no. 17
"Dictionnaire de la peinture moderne," Hazan, 1954–1963, p. 219
Former Ambroise Vollard Collection
Lucile Manguin Collection.

17. The 14th of July at Saint-Tropez
The Harbor—right side
1905
Oil on canvas, 61 x 50 cm. Illustrated, color, p. 83
Signed: Manguin 1905, lower right
Historical note: These paintings were done from the balcony of the Hotel

"Variations", Recklinghausen, 1966, n⁰ 24, reproduit
"Manguin", Galerie Tooth, Londres, 1966, n⁰ 7
"Le Fauvisme français", Munich, 1966, n⁰ 59
"Le Fauvisme français", Musée National d'Art Moderne, Paris, 1966, n⁰ 59, reproduit
"Hommage à Manguin", Mairie de Montrouge, 1967
"Les Lumières de l'Eté", Galerie de Paris, 1967
"Autour du Fauvisme: Valtat et ses amis", Palais des Beaux-Arts, Charleroi, 1967, n⁰ 35, reproduit
"Manguin", Grenier à sel, Honfleur, 1968, n⁰ 5
"Le Fauvisme dans l'art du XXème siècle", Malines, 1969
"Manguin", Palais de la Méditerranée, Nice, 1969, n⁰ 16, reproduit
"Manguin", Kunstverein, Berlin, 1970, n⁰ 23, reproduit
Bibliographie: J. Leymarie, "Le Fauvisme", Skira, p. 62
J. P. Crespelle, "Les Fauves", Ides et Calendes, 1962, pl. n⁰ 81
J. E. Muller, "Fauvism", Thames and Hudson, 1967, pl. n⁰ 110
Pierre Cabanne, "Manguin", Ides et Calendes, 1964, pl. n⁰ 17
"Dictionnaire de la peinture moderne", Hazan, 1954–1963, p. 219.
Ancienne collection Ambroise Vollard
Collection Lucile Manguin.

17. 14 Juillet à Saint-Tropez
Le port—côté droit
1905
Huile sur toile, 61 x 50 cm. Illustré, en couleurs, page 83
Signé en bas à droite: Manguin 1905
Historique: Tableaux exécutés du balcon de l'hôtel Subes, à Saint-Tropez, en

Subes, at Saint-Tropez, at the same time as Signac's 14th of July.
Exhibitions: Group Exhibition (Camoin, Derain, Dufy, Manguin, Marquet, Matisse, Vlaminck), Galerie Weill, Paris, 1905, Sydney, 1938
"Salon des Artistes Indépendants," 1944, no. 2058
"Les Fauves," Janis Gallery, New York, 1950, no. 23
"Le Fauvisme," Galerie Charpentier, 1951, no. 70
"Depuis Bonnard," Musée d'Art Moderne, Paris, 1957
"Manguin," Galerie Montmorency, Paris, 1958, no. 11
"Triumph der Farbe," Berlin, 1959, no. 66
"Triumph der Farbe," Schaffhausen, 1959, no. 55
Manguin "Peintures de Saint-Tropez," Galerie de Paris, 1960, no. 18
"Marquet et ses amis," Chartres, 1961, no. 1
"Manguin," Galerie L. Blanc, Aix-en-Provence, 1961, no. 7
"Manguin Fauve," Galerie de Paris, 1962, no. 23, reproduced
"Gustave Moreau et ses élèves," Musée Cantini, Marseilles, 1962, no. 36, reproduced
"Le Midi des Peintres," Palais de la Méditerranée, Nice, 1964
"Manguin," Musée des Beaux-Arts, Neuchâtel, 1964, no. 34, reproduced
Stadtische Recklinghausen, 1965, no. 13, reproduced
"Les Fauves," Tokyo, 1965, no. 31, reproduced
"Matisse et ses amis," Hamburg, 1966, no. 39, reproduced
"Le Fauvisme français," Munich, 1966, no. 58
"Manguin," Galerie Tooth, London, 1966, no. 9
"Le Fauvisme français," Musée d'Art

même temps que le 14 juillet de Signac.
Expositions: Exposition de groupe (Camoin, Derain, Dufy, Manguin, Marquet, Matisse, Vlaminck), Galerie Weill, Paris, 1905
Sydney, 1938
"Salon des Artistes Indépendants", 1944, n⁰ 2058
"Les Fauves", Janis Gallery, New York, 1950, n⁰ 23
"Le Fauvisme", Galerie Charpentier, 1951, n⁰ 70
"Depuis Bonnard", Musée d'Art Moderne, Paris, 1957
"Manguin", Galerie Montmorency, Paris, 1958, n⁰ 11
"Triumph der Farbe", Berlin, 1959, n⁰ 66
"Triumph der Farbe", Schaffhausen, 1959, n⁰ 55
Manguin "Peintures de Saint-Tropez", Galerie de Paris, 1960, n⁰ 18
"Marquet et ses amis", Chartres, 1961, n⁰ 1
"Manguin", Galerie L. Blanc, Aix-en-Provence, 1961, n⁰ 7
"Manguin Fauve", Galerie de Paris, 1962, n⁰ 23, reproduit
"Gustave Moreau et ses élèves", Musée Cantini, Marseille, 1962, n⁰ 36, reproduit
"Le Midi des Peintres", Palais de la Méditerranée, Nice, 1964
"Manguin", Musée des Beaux-Arts, Neuchâtel, 1964, n⁰ 34, reproduit
Stadtische Recklinghausen, 1965, n⁰ 13, reproduit
"Les Fauves", Tokyo, 1965, n⁰ 31, reproduit
"Matisse et ses amis", Hambourg, 1966, n⁰ 39, reproduit
"Le Fauvisme français", Munich, 1966, n⁰ 58
"Manguin", Galerie Tooth, Londres, 1966, n⁰ 9
"Le Fauvisme français", Musée d'Art

Moderne, Paris, 1966, no. 58, reproduced
"Hommage à Manguin," Mairie de Montrouge, 1967, reproduced
"Valtat et ses amis," Palais des Beaux-Arts, Charleroi, 1967, no. 36, reproduced
"Lumières de l'Eté," Galerie de Paris, 1967
"Fauves et expressionnistes," Galerie Hutton, New York, no. 66
"Manguin," Grenier à sel, Honfleur, 1968, no. 4, reproduced
"Manguin," Palais de la Méditerranée, 1969, no. 17
"Manguin," Kunsthalle, Berlin, 1969, no. 23, reproduced
"Manguin," Galerie Yoshii, 1970, no. 1, reproduced
Bibliography: Pierre Cabanne, "Manguin," Ides et Calendes, 1964, pl. no. 8
Former Vollard Collection
Lucile Manguin Collection.

18. The Sleeping Girl
1905
Oil on canvas, 33 x 41 cm. Illustrated, color, p. 84
Signed: Manguin, lower right
Exhibitions: "Manguin," Galerie Montmorency, Paris, 1958, no. 17
"Manguin Fauve," Galerie de Paris, 1962, no. 19
"Manguin," Musée des Beaux-Arts, Neuchâtel, 1964, no. 84, reproduced
"Matisse et ses amis," Hamburg, 1966, no. 42, reproduced
"Maître et modèle," Kunsthalle, Baden-Baden, 1969, no.117, reproduced
"Manguin," Kunsthalle, Düsseldorf, 1969, no. 28, reproduced
"Manguin," Kunstverein, Berlin, 1970, no. 28, reproduced
Bibliography: J. P. Crespelle, "Les Fauves," Ides et Calendes, 1962, pl. no. 84

Moderne, Paris, 1966, nº 58, reproduit
"Hommage à Manguin", Mairie de Montrouge, 1967, reproduit
"Valtat et ses amis", Palais des Beaux-Arts, Charleroi, 1967, nº 36, reproduit
"Lumières de l'Eté", Galerie de Paris, 1967
"Fauves et expressionnistes", Galerie Hutton, New York, nº 66
"Manguin", Grenier à sel, Honfleur, 1968, nº 4 reproduit
"Manguin", Palais de la Méditerranée, 1969, nº 17
"Manguin", Kunsthalle, Berlin, 1969, nº 23, reproduit
"Manguin", Galerie Yoshii, 1970, nº 1, reproduit
Bibliographie: Pierre Cabanne, "Manguin", Ides et Calendes, 1964, pl. nº 8
Ancienne collection Vollard
Collection Lucile Manguin.

18. La dormeuse
1905
Huile sur toile, 33 x 41 cm. Illustré, en couleurs, page 84
Signé en bas à droite: Manguin
Expositions: "Manguin", Galerie Montmorency, Paris, 1958, nº 17
"Manguin Fauve", Galerie de Paris, 1962, nº 19
"Manguin", Musée des Beaux-Arts, Neuchâtel, 1964, nº 84, reproduit
"Matisse et ses amis", Hambourg, 1966, nº 42, reproduit
"Maître et modèle", Kunsthalle, Baden-Baden, 1969, nº 117, reproduit
"Manguin", Kunsthalle, Dusseldorf, 1969, nº 28, reproduit
"Manguin", Kunstverein, Berlin, 1970, nº 28, reproduit
Bibliographie: J. P. Crespelle, "Les Fauves", Ides et Calendes, 1962, pl. nº 84

Pierre Cabanne, "Manguin," Ides et
Calendes, 1964, pl. no. 15
Former Collection of Leo Stein
Lucile Manguin Collection.

19. The Nap
    1905
    Oil on canvas, 50 x 61 cm. Illustrated,
    black and white, p. 85
    Signed: Manguin 1905, lower left
    Exhibitions: "Maîtres de l'Art
    Indépendant," Paris, 1937, no. 2
    "Salon des Indépendants," Paris, 1942,
    no. 1970
    "Rétrospective de 1903 à 1908, Salon
    d'Automne," Paris, 1958
    "Manguin," Galerie Montmorency,
    Paris, 1958, no. 9
    "Manguin," Galerie Motte, Geneva,
    1958, no. 23
    Manguin "Toiles Fauves," Galerie de
    Paris, 1958, no. 8
    "Triumph der Farbe," Berlin, 1959
    "Triumph der Farbe," Schaffhausen,
    1959
    "Manguin," Galerie L. Blanc, Aix-en-
    Provence, 1961, no. 23
    "Manguin Fauve," Galerie de Paris,
    1962, no. 13, reproduced
    "Manguin," Musée des Beaux-Arts,
    Neuchâtel, 1964, no. 37, reproduced
    "Les Fauves," Tokyo, 1965, no. 36, re-
    produced
    "Manguin," Château-musée de Cagnes,
    1965, no. 15
    "Matisse et ses amis," Hamburg, 1966,
    no. 41, reproduced
    "Manguin," Galerie A. Tooth, London,
    1966, no. 17
    "Magie de la Lumière," Stadtische Kun-
    sthalle Recklinghausen, 1967, no. 101
    "Fauves et expressionnistes," Galerie
    Hutton, New York, 1968, no. 67
    "Joie et bonheur du peintre," Maison de
    la Culture de Bourges, 1969
    "Manguin," Galerie du Théâtre, Geneva,
    1969, no. 1, reproduced
    "Manguin," Palais de la Méditerranée,
    Nice, 1969, no. 1, reproduced

Pierre, Cabanne, "Manguin", Ides et
Calendes, 1964, pl. n⁰ 15
Ancienne collection Léo Stein
Collection Lucile Manguin.

19. La sieste
    1905
    Huile sur toile, 50 x 61 cm. Illustré, en
    noir sur blanc, page 85
    Signé en bas à gauche: Manguin 1905
    Expositions: "Maîtres de l'Art
    Indépendant," Paris, 1937, n⁰ 2
    "Salon des Indépendants", Paris, 1942,
    no. 1970
    "Rétrospective de 1903 à 1908, Salon
    d'Automne," Paris, 1958
    "Manguin", Galerie Montmorency,
    Paris, 1958, n⁰ 9
    "Manguin", Galerie Motte, Genève,
    1958, n⁰ 23
    Manguin "Toiles Fauves", Galerie de
    Paris, 1958, n⁰ 8
    "Triumph der Farbe", Berlin, 1959
    "Triumph der Farbe", Schaffhausen,
    1959
    "Manguin", Galerie L. Blanc, Aix-en-
    Provence, 1961, n⁰ 23
    "Manguin Fauve", Galerie de Paris,
    1962, n⁰ 13, reproduit
    "Manguin", Musée des Beaux-Arts,
    Neuchâtel, 1964, n⁰ 37 reproduit
    "Les Fauves", Tokyo, 1965, n⁰ 36, re-
    produit
    "Manguin", Château-musée de Cagnes,
    1965, n⁰ 15
    "Matisse et ses amis", Hambourg, 1966,
    n⁰ 41, reproduit
    "Manguin", Galerie A. Tooth, Londres,
    1966, n⁰ 17
    "Magie de la Lumière", Stadtische Kun-
    sthalle Recklinghausen, 1967, n⁰ 101
    "Fauves et expressionnistes", Galerie
    Hutton, New York, 1968, n⁰ 67
    "Joie et bonheur du peintre", Maison de
    la Culture de Bourges, 1969
    "Manguin", Galerie du Théâtre, Genève,
    1969, n⁰ 1, reproduit
    "Manguin", Palais de la Méditerranée,
    Nice, 1969, n⁰ 1, reproduit

"Manguin," Kunstverein, Berlin, 1970, no. 17, reproduced
Bibliography: Gaston Diehl, "Les Fauves," Nouvelles editions françaises, 1971, p. 98
La Galerie des Arts, no. 68, 1969
Connaissance des Arts, May 1971
Private Collection, Paris.

20. The Doe Fawn
1905
Oil on canvas, 92 x 73 cm. Illustrated, black and white, p. 86
Signed: Manguin, lower right
Exhibitions: "Manguin," Galerie Druet, Paris, 1910, no. 20
"Manguin," Galerie L. Blanc, Aix-en-Provence, 1961, no. 3, reproduced
"Manguin Fauve," Galerie de Paris, 1962, no. 15
"Manguin," Musée des Beaux-Arts, Neuchâtel, 1964, no. 42
"Manguin," Château-musée de Cagnes, 1965, no. 19
"Les Fauves," Tokyo, 1965, no. 39, reproduced
"Hommage à Manguin," Mairie de Montrouge, 1967
"Manguin," Palais de la Méditerranée, Nice, 1969, no. 20
"Manguin," Kunsthalle, Düsseldorf, 1969, no. 21
"Manguin," Kunstverein, Berlin, 1970, no. 21
Bibliography: Pierre Cabanne, "Manguin," Ides et Calendes, 1964, pl. no. 70
Former Collections of Druet, Aghion, Bunemann
Private Collection, Paris.

21. Portrait of Jean Puy
1905
Oil on canvas, 81 x 65 cm. Illustrated, color, p. 87
Unsigned
Note: Marquet, Matisse, and Jean Puy often came to work in Manguin's studio on the rue Boursault so they would only

"Manguin", Kunstverein, Berlin, 1970, nº 17, reproduit
Bibliographie: Gaston Diehl, "Les Fauves", Nouvelles editions françaises, 1971, p. 98
La Galerie des Arts, nº 68, 1969
Connaissance des Arts, Mai 1971
Collection particulière, Paris

20. La faunesse
1905
Huile sur toile, 92 x 73 cm. Illustré en noir sur blanc, page 86
Signé en bas à droite: Manguin
"Manguin", Galerie Druet, Paris, 1910, nº 20
"Manguin", Galerie L. Blanc, Aix-en-Provence, 1961, nº 3, reproduit
"Manguin Fauve", Galerie de Paris, 1962, nº 15
"Manguin", Musée des Beaux-Arts, Neuchâtel, 1964, nº 42
"Manguin", Château-musée de Cagnes, 1965, nº 19
"Les Fauves", Tokyo, 1965, nº 39, reproduit
"Hommage à Manguin", Mairie de Montrouge, 1967
"Manguin", Palais de la Méditerranée, Nice, 1969, nº 20
"Manguin", Kunsthalle, Dusseldorf, 1969, nº 21
"Manguin", Kunstverein, Berlin, 1970, nº 21
Bibliographie: Pierre Cabanne, "Manguin", Ides et Calendes, 1964, pl. nº 70
Anciennes collections Druet, Aghion, Bunemann
Collection particulière, Paris.

21. Portrait de Jean Puy
1905
Huile sur toile, 81 x 65 cm. Illustré en couleurs, page 87
Non signé
Historique: Marquet, Matisse, Jean Puy venaient travailler dans l'atelier de Manguin, rue Boursault, afin d'avoir un

have to pay one model. It was in that studio that this portrait was painted.

Exhibitions: "Le Fauvisme," Galerie de Charpentier, Paris, 1951, no. 3

"Le Fauvisme," Musée d'Art Moderne, Paris, 1951, no. 73

"Les Fauves," Museum of Modern Art, New York; The Minneapolis Institute of Arts; San Francisco Museum of Art; The Art Gallery of Toronto, 1953, no. 66, reproduced

"Manguin," Musée Toulouse-Latrec, Albi, 1957, no. 16

"Manguin," Galerie Motte, Geneva, 1958, no. 19

"Manguin," Galerie Montmorency, Paris, 1958, no. 13

"Triumph der Farbe," Berlin, 1959

"Triumph der Farbe," Schaffhausen, 1959, no. 70, reproduced

"Manguin," Galerie L. Blanc, Aix-en-Provence, 1961, no. 18

"Les Fauves," Galerie Charpentier, 1962, no. 75

"Manguin," Musée des Beaux-Arts, Neuchâtel, 1964, no. 44

"Matisse et ses amis," Musée de Hamburg, 1966, no. 38

"Le début du siècle aux Indépendants," Grand Palais, Paris, 1967, no. 57

"Hommage à Manguin," Mairie de Montrouge, 1967

"Valtat et ses amis," Palais des Beaux-Arts, Charleroi, 1967, no. 34

"Manguin," Palais de la Méditerranée, Nice, 1969, no. 21, reproduced

"Manguin," Kunsthalle, Düsseldorf, 1969, no. 25, reproduced

"Manguin," Kunstverein, Berlin, 1970, no. 25, reproduced

Bibliography: Duthuit, "Les Fauves," Edition des trois Collines, 1949, p. 97

J. G. Muller, "Fauvisme," Ed. Thames & Hudson, pl. no. 108

seul modèle à rémunérer. C'est dans cet atelier qu'a été exécuté ce portrait.

Expositions: "Le Fauvisme", Galerie de Charpentier, Paris, 1951, n° 3

"Le Fauvisme", Musée d'Art Moderne, Paris, 1951, n° 73

"Les Fauves", Museum of Modern Art, New York; The Minneapolis Institute of Arts; San Francisco Museum of Art; The Art Gallery of Toronto, 1953, n° 66, reproduit

"Manguin", Musée Toulouse-Lautrec, Albi, 1957, n° 16

"Manguin", Galerie Motte, Genève, 1958, n° 19

"Manguin", Galerie Montmorency, Paris, 1958, n° 13

"Triumph der Farbe", Berlin, 1959

"Triumph der Farbe", Schaffhausen, 1959, n° 70, reproduit

"Manguin", Galerie L. Blanc, Aix-en-Provence, 1961, n° 18

"Les Fauves", Galerie Charpentier, 1962, n° 75

"Manguin", Musée des Beaux-Arts, Neuchâtel, 1964, n° 44

"Matisse et ses amis", Musée de Hambourg, 1966, n° 38

"Le début du siècle aux Indépendants", Grand Palais, Paris, 1967, n° 57

"Hommage à Manguin", Mairie de Montrouge, 1967

"Valtat et ses amis", Palais des Beaux-Arts, Charleroi, 1967, n° 34

"Manguin", Palais de la Méditerranée, Nice, 1969, n° 21, reproduit

"Manguin", Kunsthalle, Dusseldorf, 1969, n° 25, reproduit

"Manguin", Kunstverein, Berlin, 1970, n° 25, reproduit

Bibliographie: Duthuit, "Les Fauves", Edition de trois Collines, 1949, p. 97

J. G. Muller, "Fauvisme", Ed. Thames & Hudson, pl. n° 108

G. Diehl, "Les Fauves," Nouvelles editions françaises, 1971, pl. no. 22
G. Jedlicka, "Der Fauvisme," Zurich, 1961, pl. no. 88
Pierre Cabanne, "Manguin," Ides et Calendes, 1964, pl. no. 63
Private Collection, Paris.

22. The Fiasco—Still Life with Chianti
1905
Oil on panel, 24 x 19 cm. Illustrated, color, p. 88
Signed: Manguin, lower right
Exhibitions: "Manguin," Galerie Brame, Paris, 1954, no. 19
"Manguin," Galerie Montmorency, Paris, 1958, no. 15
"Manguin," Galerie Motte, Geneva, 1958, no. 15
"Manguin," Galerie L. Blanc, Aix-en-Provence, 1961, no. 24, reproduced
"Manguin Fauve," Galerie de Paris, 1962, no. 21, reproduced
"Manguin," Musée des Beaux-Arts, Neuchâtel, 1964, no. 26, reproduced
"Manguin," Château-musée de Cagnes, 1965, no. 11
"Manguin," Kunsthalle, Düsseldorf, 1969, no. 14, reproduced
"Manguin," Galerie Yoshii, Tokyo, 1970, no. 3, reproduced
Bibliography: Pierre Cabanne, "Manguin," Ides et Calendes, 1964, pl. no. 11
La Galerie des Arts, 1969, no. 68
Connaissance des Arts, May 1971
Lucile Manguin Collection.

23. The Gypsy-girl in the Studio
1906
Oil on canvas, 46 x 55 cm. Illustrated, color, p. 89
Signed: Manguin, lower right
Note: The model who posed for this painting was painted the same day at the same time by Matisse who often

G. Diehl, "Les Fauves", Nouvelles editions françaises, 1971, pl. n° 22
G. Jedlicka, "Der Fauvisme", Zurich, 1961, pl. n° 88
Pierre Cabanne, "Manguin", Ides et Calendes, 1964, pl. n° 63
Collection particulière, Paris.

22. Le fiasco—nature morte au Chianti
1905
Huile sur panneau, 24 x 19 cm. Illustré, en couleurs, page 88
Signé en bas à droite: Manguin
Expositions: "Manguin", Galerie Brame, Paris, 1954, n° 19
"Manguin", Galerie Montmorency, Paris, 1958, n° 15
"Manguin", Galerie Motte, Genève, 1958, n° 15
"Manguin", Galerie L. Blanc, Aix-en-Provence, 1961, n° 24, reproduit
"Manguin Fauve", Galerie de Paris, 1962, n° 21, reproduit
"Manguin", Musée des Beaux-Arts, Neuchâtel, 1964, n° 26, reproduit
"Manguin", Château-musée de Cagnes, 1965, n° 11
"Manguin", Kunsthalle, Dusseldorf, 1969, n° 14, reproduit
"Manguin", Galerie Yoshii, Tokyo, 1970, n° 3, reproduit
Bibliographie: Pierre Cabanne, "Manguin", Ides et Calendes, 1964, pl. n° 11
La Galerie des Arts, 1969, n° 68
Connaissance des Arts, Mai 1971
Collection Lucile Manguin.

23. La gitane à l'atelier
1906
Huile sur toile, 46 x 55 cm. Illustré en couleurs, page 89
Signé en bas à droite: Manguin
Historique: Le modèle qui a posé pour ce tableau a été peint le même jour, au même moment par Matisse qui venait

came to work in Manguin's studio. Mattisse's painting is in the museum of l'Annonciade in Saint-Tropez.
Exhibitions: "Les Fauves au Japan," Tokyo, 1965, no. 40, reproduced
"Matisse et ses amis," Hamburg, 1966, no. 46
"Le Fauvisme française et l'expressionnisme allemand," Munich, 1966, no. 60
"Magie de la lumière," Recklinghausen, 1967, no. 103
"Manguin," Palais de la Méditerranée, Nice, 1969, no. 15, reproduced
"Manguin," Kunstverein, Düsseldorf, 1969, no. 36, reproduced
"Manguin," Kunstverein, Berlin, 1970, no. 38, reproduced
Bibliography: Gaston Diehl, "Les Fauves," Nouvelles editions françaises, 1971, p. 103
Lucile Manguin Collection.

24. The Cork Oaks
1906
Oil on canvas, 38 x 46 cm. Illustrated, color, p. 90
Signed: Manguin, lower right
Exhibitions: "Salon d'Automne," Paris, 1905, no. 1017
"Beautés de la Provence," Galerie Charpentier, 1947, no. 92 bis
"Autour de 1900," Galerie Charpentier, 1950
"Fauvisme," Galerie Charpentier, 1951, no. 75
"Le Fauvisme," Musée d'Art Moderne, 1951
"Manguin," Musée Toulouse-Lautrec, Albi, 1957, no. 25, reproduced
Manguin, "Peintures de Saint-Tropez," Galerie de Paris, 1960, no. 15
"Manguin," Galerie L. Blanc, Aix-en-Provence, 1961, no. 17

souvent travailler dans l'atelier de Manguin. Le tableau de Matisse est conservé au musée de l'Annonciade à Saint-Tropez.
Expositions: "Les Fauves au Japon", Tokyo, 1965, nº 40, reproduit
"Matisse et ses amis", Hambourg, 1966, nº 46
"Le Fauvisme français et l'expressionnisme allemand", Munich, 1966, nº 60
"Magie de la lumière", Recklinghausen, 1967, nº 103
"Manguin", Palais de la Méditerranée, Nice, 1969, nº 15, reproduit
"Manguin", Kunstverein, Dusseldorf, 1969, nº 36, reproduit
"Manguin", Kunstverein, Berlin, 1970, nº 38, reproduit
Bibliographie: Gaston Diehl, "Les Fauves", Nouvelles editions françaises, 1971, p. 103
Collection Lucile Manguin.

24. Les chênes-lièges
1906
Huile sur toile, 38 x 46 cm. Illustré en couleurs, page 90
Signé en bas, à droite: Manguin
Expositions: "Salon d'Automne", Paris, 1905, nº 1017
"Beautés de la Provence", Galerie Charpentier, 1947, nº 92 bis
"Autour de 1900", Galerie Charpentier, 1950
"Fauvisme", Galerie Charpentier, 1951, nº 75
"Le Fauvisme", Musée d'Art Moderne, 1951
"Manguin", Musée Toulouse-Lautrec, Albi, 1957, nº 25, reproduit
Manguin, "Peintures de Saint-Tropez", Galerie de Paris, 1960, nº 15
"Manguin", Galerie L. Blanc, Aix-en-Provence, 1961, nº 17

"Gustave Moreau et ses élèves," Musée Cantini, Marseille, 1962, no. 38, reproduced
"Manguin Fauve," Galerie de Paris, 1962, no. 17
"Manguin," Musée des Beaux-Arts, Neuchâtel, 1964, no. 47
"Manguin," Château-musée de Cagnes, 1965, no. 21
"Les Fauves," Kunstverein, Hamburg, 1966, no. 11
"Matisse et ses amis," Kunstverein, Hamburg, 1966, no. 40, reproduced
"Valtat et ses amis," Palais des Beaux-Arts, Charleroi, 1967, no. 42, reproduced
"Manguin," Grenier à sel, Honfleur, 1968, no. 9, reproduced
"Manguin," Palais de la Méditerranée, Nice, 1969, no. 22
"Le Fauvisme dans l'art du XXème Siècle," Malines, 1969
"Paysage du Midi, de Cézanne à Derain," Pavillon de Vendôme, Aix-en-Provence, 1969, no. 28
"Manguin," Kunstverein, Berlin, 1970, no. 37
Bibliography: Pierre Cabanne, "Manguin," Ides et Calendes, 1964, pl. no. 23
René Huyghe, "L'Art moderne et le monde," Larousse, 1970, p. 190
Gaston Diehl, "Les Fauves," Nouvelles editions françaises, 1971, p. 101
André Martinais Collection.

25. Portrait of Lucile Manguin
1906
Oil on canvas, 24 x 23 cm. Illustrated, color, p. 91
Signed: Manguin, lower left
Exhibitions: "Manguin," Galerie Brame, Paris, 1954, no. 13
"Manguin," Musée Toulouse-Lautrec, Albi, 1957, no. 27, reproduced
"Manguin," Galerie Montmorency,

"Gustave Moreau et ses élèves", Musée Cantini, Marseille, 1962, n⁰ 38, reproduit
"Manguin Fauve", Galerie de Paris, 1962, n⁰ 17
"Manguin", Musée des Beaux-Arts, Neuchâtel, 1964, n⁰ 47
"Manguin", Château-musée de Cagnes, 1965, n⁰ 21
"Les Fauves", Kunstverein, Hambourg, 1966, n⁰ 11
"Matisse et ses amis", Kunstverein, Hambourg, 1966, n⁰ 40, reproduit
"Valtat et ses amis", Palais des Beaux-Arts, Charleroi, 1967, n⁰ 42, reproduit
"Manguin", Grenier à sel, Honfleur, 1968, n⁰ 9, reproduit
"Manguin", Palais de la Méditerranée, Nice, 1969, n⁰ 22
"Le Fauvisme dans l'art du XXème siècle", Malines, 1969
"Paysage du Midi, de Cézanne à Derain", Pavillon de Vendôme, Aix-en-Provence, 1969, n⁰ 28
"Manguin", Kunstverein, Berlin, 1970, n⁰ 37
Bibliographie: Pierre Cabanne, "Manguin", Ides et Calendes, 1964, n⁰ 23
René Huyghe, "L'Art moderne et le monde", Larousse, 1970, p. 190
Gaston Diehl, "Les Fauves", Nouvelles editions françaises, 1971, p. 101
Collection André Martinais.

25. Portrait de Lucile Manguin
1906
Huile sur toile, 24 x 23 cm. Illustré en couleurs, page 91
Signé en bas à gauche: Manguin
Expositions: "Manguin", Galerie Brame, Paris, 1954, n⁰ 13
"Manguin", Musée Toulouse-Lautrec, Albi, 1957, n⁰ 27, reproduit
"Manguin", Galerie Montmorency,

Paris, 1958, no. 18
"Manguin," Musée Calvet, Avignon, 1959
"Manguin," Galerie L. Blanc, Aix-en-Provence, 1961, no. 36
"Manguin Fauve," Galerie de Paris, 1962, no. 41
"Manguin," Musée des Beaux-Arts, Neuchâtel, 1964, no. 54, reproduced
"Manguin," Château-musée de Cagnes, 1965, no. 26
"Manguin," Kunsthalle, Düsseldorf, 1969, no. 37
"Manguin," Kunstverein, Berlin, 1970, no. 39
Bibliography: Pierre Cabanne, "Manguin," Ides et Calendes, 1964, pl. no. 80
Lucile Manguin Collection.

26. Saint-Tropez seen from the Demière Villa
1906
Oil on canvas, 81 x 65 cm. Illustrated, color, p. 92
Signed: Manguin, lower right
Exhibitions: "Salon des Indépendants," Paris, 1906, no. 3251
Biennale de Venise, 1950
"Les Fauves," Kunsthalle, Berne, 1950, no. 69
"Les Fauves," Museum of Modern Art, New York; Minneapolis Institute of Art; San Francisco Museum of Art; The Art Gallery of Toronto, 1953, no. 67
"Manguin," Musée Toulouse-Lautrec, Albi, 1957, no. 13
"Manguin," Galerie Montmorency, Paris, 1958, no. 16
"Manguin," Galerie Motte, Geneva, 1958, no. 29
Manguin, "Peintures de Saint-Tropez," Galerie de Paris, 1960, no. 3
"Manguin," Galerie L. Blanc, Aix-en-Provence, 1961, no. 2, reproduced
"Les Amis de Saint-Tropez," Galerie de

Paris, 1958, n⁰ 18
"Manguin", Musée Calvet, Avignon, 1959
"Manguin", Galerie L. Blanc, Aix-en-Provence, 1961, n⁰ 36
"Manguin Fauve", Galerie de Paris, 1962, n⁰ 41
"Manguin", Musée des Beaux-Arts, Neuchâtel, 1964, n⁰ 54, reproduit
"Manguin", Château-musée de Cagnes, 1965, n⁰ 26
"Manguin", Kunsthalle, Dusseldorf, 1969, n⁰ 37
"Manguin", Kunstverein, Berlin, 1970, n⁰ 39
Bibliographie: Pierre Cabanne, "Manguin", Ides et Calendes, 1964, pl. n⁰ 80
Collection Lucile Manguin.

26. Saint-Tropez vu de la Villa Demière
1906
Huile sur toile, 81 x 65 cm. Illustré en couleurs, page 92
Signé en bas, à droite: Manguin
Expositions: "Salon des Indépendants", Paris, 1906, n⁰ 3251
Biennale de Venise, 1950
"Les Fauves", Kunsthalle, Berne, 1950, n⁰ 69
"Les Fauves", Museum of Modern Art, New York; Minneapolis Institute of Art; San Francisco Museum of Art; The Art Gallery of Toronto, 1953, n⁰ 67
"Manguin", Musée Toulouse-Lautrec, Albi, 1957, n⁰ 13
"Manguin", Galerie Montmorency, Paris, 1958, n⁰ 16
"Manguin", Galerie Motte, Genève, 1958, n⁰ 29
Manguin, "Peintures de Saint-Tropez", Galerie de Paris, 1960, n⁰ 3
"Manguin", Galerie L. Blanc, Aix-en-Provence, 1961, n⁰ 2, reproduit
"Les Amis de Saint-Tropez", Galerie de Paris, 1961, n⁰ 37

Paris, 1961, no. 37
"Manguin Fauve," Galerie de Paris, 1962, no. 40, reproduced
"Manguin," Musée des Beaux-Arts, Neuchâtel, 1964, no. 48, reproduced
"Manguin," Chateau-musée de Cagnes, 1965, no. 22
"Manguin," Grenier à sel, Honfleur, 1968, no. 10, reproduced
"Manguin," Palais de la Méditerranée, Nice, 1969, no. 23, reproduced
"Manguin," Kunsthalle, Düsseldorf, 1969, no. 39
"Paysage du Midi de Cézanne à Derain," Aix-en-Provence, 1969, no. 27, Pavillon Vendôme
"Manguin," Galerie Yoshii, Tokyo, 1970, no. 5, reproduced
Bibliography: Pierre Cabanne, "Manguin," Ides et Calendes, 1964, pl. 21
La Galerie des Arts, 1969, no. 68, reproduced
Lucile Manguin Collection.

27. The Bathers
    1906
    Sketch, oil on panel, 33 x 41 cm.
    Illustrated, color, p. 93
    Signed: Manguin, lower right
    Exhibitions: "Manguin Fauve," Galerie de Paris, 1962, no. 42
    "Manguin," Musée des Beaux-Arts, Neuchâtel, 1964, no. 49, reproduced
    Bibliography: Pierre Cabanne, "Manguin," Ides et Calendes, pl. no. 22
    Private collection.

Frontispiece. Cassis
    1906
    Oil on canvas, 22 x 27 cm. Illustrated, color
    Signed: Manguin, lower left
    Exhibitions: "Exposition Manguin," Galerie Lucien Blanc, Aix-en-Provence, July, 1961, no. 30

"Manguin Fauve", Galerie de Paris, 1962, nº 40, reproduit
"Manguin", Musée des Beaux-Arts, Neuchâtel, 1964, nº 48, reproduit
"Manguin", Chateau-musée de Cagnes, 1965, nº 22
"Manguin", Grenier à sel, Honfleur, 1968, nº 10, reproduit
"Manguin", Palais de la Méditerranée, Nice, 1969, nº 23, reproduit
"Manguin", Kunsthalle, Dusseldorf, 1969, nº 39
"Paysage du Midi de Cézanne à Derain", Aix-en-Provence, 1969, nº 27, Pavillon Vendôme
"Manguin", Galerie Yoshii, Tokyo, 1970, nº 5, reproduit
Bibliographie: Pierre Cabanne, "Manguin", Ides et Calendes, 1964, pl. 21
La Galerie des Arts, 1969, nº 68, reproduit
Collection Lucile Manguin.

27. Les baigneuses
    1906
    Esquisse, huile sur panneau, 33 x 41 cm.
    Illustré en couleurs, page 93
    Signé en bas, à droite: Manguin
    Expositions: "Manguin Fauve", Galerie de Paris, 1962, nº 42
    "Manguin", Musée des Beaux-Arts, Neuchâtel, 1964, nº 49, reproduit
    Bibliographie: Pierre Cabanne, "Manguin", Ides et Calendes, pl. nº 22
    Collection particulière

Frontispice. Cassis
    1906
    Huile sur toile, 22 x 27 cm. Illustré en couleurs
    Signé en bas à gauche: Manguin
    Expositions: "Exposition Manguin", Galerie Lucien Blanc, Aix-en-Provence, Juillet, 1961, nº 30

"The George Gregson Collection," University of Arizona Museum of Art, Tucson, Arizona, 1969, p. 42
Former Collection, Galerie de Paris.
George Gregson Collection.

28. Stock and Anthemion
1907
Oil on canvas, 65 x 55 cm. Illustrated, black and white, p. 94
Signed: Manguin, lower right
Exhibition in Tokyo, 1908
Lucile Manguin Collection.

29. Woman with Orange Ribbon
1907
Oil on panel, 41 x 33 cm. Illustrated, color, p. 95
Signed: Manguin, lower right
Exhibitions: "Manguin," Galerie Brame, Paris, 1954, no. 15
"Manguin," Galerie Motte, Geneva, 1958, no. 30, reproduced
"Manguin Toiles Fauves," Galerie de Paris, 1958, no. 17
"Manguin," Galerie Montmorency, Paris, 1958, no. 19
Manguin, "Peintures de Saint-Tropez," Galerie de Paris, 1960, no. 21
"Femmes d'hier et d'aujourd'hui," Palais Galliera, Paris, 1960, no. 83
"Manguin," Galerie L. Blanc, Aix-en-Provence, 1961, no. 6
"Manguin Fauve," Galerie de Paris, 1962, no. 14, reproduced
"Manguin," Musée des Beaux-Arts, Neuchâtel, 1964, no. 60
"Manguin," Château-musée de Cagnes, 1965, no. 29
"Variations," Recklinghausen, 1966, no. 114
"Manguin," Galerie Tooth, London, 1966, no. 19
"Hommage à Manguin," Mairie de Montrouge, 1967

"Collection George Gregson", Musée d'Art, Université d'Arizona, Tucson, Arizona, 1969, page 42
Ancienne collection Galerie de Paris.
Collection George Gregson.

28. Giroflées et anthémis
1907
Huile sur toile, 65 x 55 cm. Illustré en noir sur blanc, page
Signé en bas à droite: Manguin
Exposition à Tokyo, 1908
Collection Lucile Manguin.

29. La femme au ruban orange
1907
Huile sur panneau, 41 x 33 cm. Illustré en couleurs, page 95
Signé en bas à droite: Manguin
Expositions: "Manguin", Galerie Brame, Paris, 1954, nº 15
"Manguin", Galerie Motte, Genève, 1958, nº 30, reproduit
"Manguin Toiles Fauves", Galerie de Paris, 1958, nº 17
"Manguin", Galerie Montmorency, Paris, 1958, nº 19
Manguin, "Peintures de Saint-Tropez", Galerie de Paris, 1960, nº 21
"Femmes d'hier et d'aujourd'hui", Palais Galliera, Paris, 1960, nº 83
"Manguin", Galerie L. Blanc, Aix-en-Provence, 1961, nº 6
"Manguin Fauve", Galerie de Paris, 1962, nº 14, reproduit
"Manguin", Musée des Beaux-Arts, Neuchâtel, 1964, nº 60
"Manguin", Château-musée de Cagnes, 1965, nº 29
"Variations", Recklinghausen, 1966, nº 114
"Manguin", Galerie Tooth, Londres, 1966, nº 19
"Hommage à Manguin", Mairie de Montrouge, 1967

"Manguin," Palais de la Méditerranée, Nice, 1969, no. 28, reproduced
"Manguin," Kunsthalle, Düsseldorf, 1969, no. 43
"Manguin," Kunstverein, Berlin, 1970, no. 44, reproduced
Bibliography: Pierre Cabanne, "Manguin," Ides et Calendes, 1964, pl. no. 27
André Martinais Collection.

30. Hat Decked with Corn-flowers
1907
Oil on canvas, 27 x 22 cm. Illustrated, black and white, p. 96
Signed: Manguin, lower right
Exhibitions: "Manguin," Galerie Montmorency, 1958, no. 6
"Manguin," Galerie Motte, Geneva, 1958, no. 13
"Manguin Toiles Fauves," Galerie de Paris, 1958, no. 1
"Manguin Fauve," Galerie de Paris, 1962, no. 46
Lucile Manguin Collection.

31. Windflowers and Jonquils
1908
Oil on canvas, 41 x 33 cm. Illustrated, black and white, p. 97
Signed: Manguin, lower left
Exhibitions: "Manguin," Galerie Montmorency, Paris, 1958, no. 36
"Manguin," Galerie du Théâtre, Geneva, 1969, no. 6
"Manguin," Palais de la Méditerranée, Nice, 1969, no. 30
Bibliography: Pierre Cabanne, "Manguin," Ides et Calendes, 1964, pl. no.91
La Galerie des Arts, 1969, no. 68
Private Collection.

32. Windflowers
1908
Oil on canvas, 46 x 38 cm. Illustrated, color, p. 98

"Manguin", Palais de la Méditerranée, Nice, 1969, n° 28, reproduit
"Manguin", Kunsthalle, Dusseldorf, 1969, n° 43
"Manguin", Kunstverein, Berlin, 1970, n° 44, reproduit
Bibliographie: Pierre Cabanne, "Manguin", Ides et Calendes, 1964, pl. n° 27
Collection André Martinais.

30. Le chapeau aux bleuets
1907
Huile sur toile, 27 x 22 cm. Illustré en noir sur blanc, page 96
Signé en bas à droite: Manguin
Expositions: "Manguin", Galerie Montmorency, 1958, n° 6
"Manguin", Galerie Motte, Genève, 1958, n° 13
"Manguin Toiles Fauves", Galerie de Paris, 1958, n° 1
"Manguin Fauve", Galerie de Paris, 1962, n° 46
Collection Lucile Manguin.

31. Anémones et jonquilles
1908
Huile sur toile, 41 x 33 cm. Illustré en noir sur blanc, page 97
Signé en bas à gauche: Manguin
Expositions: "Manguin", Galerie Montmorency, Paris, 1958, n° 36
"Manguin", Galerie du Théâtre, Genève, 1969, n° 6
"Manguin", Palais de la Méditerranée, Nice, 1969, n° 30
Bibliographie: Pierre Cabanne, "Manguin", Ides et Calendes, 1964, pl. n° 91
La Galerie des Arts, 1969, n° 68
Collection particulière.

32. Les anémones
1908
Huile sur toile, 46 x 38 cm. Illustré en couleurs, page 98

Signed: Manguin, lower right
Exhibitions: "Manguin," Galerie L.
Blanc, Aix-en-Provence, 1961, no. 42
"Manguin," Musée des Beaux-Arts,
Neuchâtel, 1964, no. 64
"Manguin," Château-musée de Cagnes,
1965, no. 34
"Hommage â Manguin," Mairie de Montrouge, 1967, reproduced
"Valtat et ses amis," Palais des Beaux-Arts, Charleroi, 1967, no. 45, reproduced
"Manguin," Musée des Beaux-Arts, La
Rochelle, 1969, no. 9
"Manguin," Kunsthalle, Düsseldorf,
1969, no. 49
"Manguin," Kunstverein, Berlin, 1970,
no. 50
Bibliography: Pierre Cabanne, "Manguin," Ides et Calendes, 1964, pl. no. 28
Private Collection, Paris.

33. Claude Manguin with Recorder
1908
Oil on canvas, 116 x 89 cm. Illustrated,
color, p. 99
Signed: Manguin, lower right
Exhibitions: Druet, Paris, 1910, no. 5
"Manguin," Musée des Beaux-Arts,
Neuchâtel, 1964, no. 65, reproduced
Bibliography: Pierre Cabanne, "Manguin," Ides et Calandes, 1964, pl. no. 90
Former Collections: Druet, Gallimard
Lucile Manguin Collection.

34. Reclining Nude
1908
Oil on canvas, 65 x 92 cm. Illustrated,
black and white, p. 100
Signed: Manguin, lower right
Exhibitions: "Manguin," Galerie Druet,
Paris, 1910, no. 28
Former Druet Collection
Collection of the Galerie de Paris.

35. Large Nude: Back View
1909

Signé en bas à droite: Manguin
Expositions: "Manguin", Galerie L.
Blanc, Aix-en-Provence, 1961, nº 42
"Manguin," Musée des Beaux-Arts,
Neuchâtel, 1964, nº 64
"Manguin", Château-musée de Cagnes,
1965, nº 34
"Hommage à Manguin", Mairie de Montrouge, 1967, reproduit
"Valtat et ses amis", Palais des Beaux-Arts de Charleroi, 1967, nº 45, reproduit
"Manguin", Musée des Beaux-Arts, La
Rochelle, 1969, nº 9
"Manguin", Kunsthalle, Dusseldorf,
1969, nº 49
"Manguin", Kunstverein, Berlin, 1970,
nº 50
Bibliographie: Pierre Cabanne, "Manguin", Ides et Calendes, 1964, pl. nº 28
Collection particulière, Paris.

33. Claude Manguin au flutiau
1908
Huile sur toile, 116 x 89 cm. Illustré en
couleurs, page 99
Signé en bas à droite: Manguin
Expositions: Druet, Paris, 1910, nº 5
"Manguin", Musée des Beaux-Arts,
Neuchâtel, 1964, nº 65, reproduit
Bibliographie: Pierre Cabanne, "Manguin", Ides et Calendes, 1964, pl. nº 90
Anciennes collections: Druet, Gallimard
Collection Lucile Manguin.

34. Nue couché
1908
Huile sur toile, 65 x 92 cm. Illustré en
noir sur blanc, page 100
Signé en bas à droite: Manguin
Expositions: "Manguin", Galerie Druet,
Paris, 1910, nº 28
Ancienne collection Druet
Collection Galerie de Paris.

35. Grande nue de dos
1909

Oil on canvas, 116 x 81 cm. Illustrated, black and white, p. 101
Signed: Manguin, lower right
Exhibitions: Galerie Druet, Paris, 1910, no. 6
Bibliography: Pierre Cabanne, "Manguin," Ides et Calendes, 1964, pl. no. 99
Former Collections: Druet, Romain Coolus
Private Collection.

36. The Wrapped Bouquet
1909
Oil on canvas, 65 x 54 cm. Illustrated, color, p. 102
Signed: Manguin, lower left
Exhibitions: "Manguin," Galerie Motte, Geneva, 1958, no. 46
"Manguin," Galerie L. Blanc, Aix-en-Provence, 1961, no. 11
"Manguin," Musée des Beaux-Arts, Neuchâtel, 1964, no. 75
Bibliography: Pierre Cabanne, "Manguin," Ides et Calendes, 1964, pl. no. 30
Former Druet Collection
Lucile Manguin Collection.

37. Still Life and Holly
1910
Oil on canvas, 81 x 116 cm. Illustrated, color, p. 103
Signed: Manguin, lower right
Exhibitions: "Manguin," Galerie Druet, Paris, 1913, no. 2
"Manguin," Musée des Beaux-Arts, Neuchâtel, 1964, no. 79, reproduced
"Manguin," Grenier à sel, Honfleur, 1968, no. 15, reproduced
"Manguin," Palais de la Méditerranée, Nice, 1969, no. 31
Former Collections: Druet, Dieterle
Private Collection, Paris.

38. Jeanne with a Chignon
1910
Oil on panel, 20 x 20 cm. Illustrated,

Huile sur toile, 116 x 81 cm. Illustré en noir sur blanc, page 101
Signé en bas à droite: Manguin
Expositions: Galerie Druet, Paris, 1910, nº 6
Bibliographie: Pierre Cabanne, "Manguin", Ides et Calendes, 1964, pl. nº 99
Anciennes collections: Druet, Romain Coolus
Collection particulière.

36. Le bouquet enveloppé
1909
Huile sur toile, 65 x 54 cm. Illustré en couleurs, page 102
Signé en bas à gauche: Manguin
Expositions: "Manguin", Galerie Motte, Genève, 1958, nº 46
"Manguin", Galerie L. Blanc, Aix-en-Provence, 1961, nº 11
"Manguin", Musée des Beaux-Arts, Neuchâtel, 1964, nº 75
Bibliographie: Pierre Cabanne, "Manguin", Ides et Calendes, 1964, pl. nº 30
Ancienne collection Druet
Collection Lucile Manguin.

37. Nature morte: le houx
1910
Huile sur toile, 81 x 116 cm. Illustré en couleurs, page 103
Signé en bas à droite: Manguin
Expositions: "Manguin", Galerie Druet, Paris, 1913, nº 2
"Manguin", Musée des Beaux-Arts, Neuchâtel, 1964, nº 79, reproduit
"Manguin", Grenier à sel, Honfleur, 1968, nº 15, reproduit
"Manguin", Palais de la Méditerranée, Nice, 1969, nº 31
Anciennes collections: Druet, Dieterle
Collection particulière, Paris.

38. Jeanne au chignon
1910
Huile sur panneau, 20 x 20 cm. Illustré

black and white, p. 104
Signed: Manguin, lower right
Exhibition: "Manguin," Galerie Motte,
Geneva, 1958, no. 35
Bibliography: Pierre Cabanne, "Man-
guin," Ides et Calendes, 1964, pl. no. 103
Lucile Manguin Collection.

39. Fruit and Silver Pitcher
1911
Oil on canvas, 54 x 65 cm. Illustrated,
black and white, p. 105
Signed: Manguin, lower right
Exhibitions: Galerie Druet, Paris, 1913,
no. 50
"La vie silencieuse," Galerie Charpen-
tier, Paris, 1946, no. 143
Lucile Manguin Collection.

40. Still Life with Oriental Tablecloth
1912
Oil on canvas, 81 x 100 cm. Illustrated,
color, p. 106
Signed: Manguin, lower right
Exhibitions: "Manguin," Galerie Druet,
1913, no. 48
"Manguin," Musée des Beaux-Arts,
Neuchâtel, 1964, no. 91, reproduced.

41. Petite Odalisque
1912
Oil on canvas, 88 x 116.5 cm. Illustrated,
color, p. 107
Signed: Manguin, lower right
Exhibitions: "Manguin," Galerie Druet,
1913
"Manguin," Galerie Motte, Geneva,
1958, no. 59
"Manguin," Musée des Beaux-Arts,
Neuchâtel, 1964, no. 75
Bibliography: Pierre Cabanne, "Man-
guin," Ides et Calendes, 1964, pl. no. 31
Former Hahnloser Collection.
The Jack Josey Collection

en noir sur blanc, page 104
Signé en bas à droite: Manguin
Exposition: "Manguin", Galerie Motte,
Genève, 1958, n⁰ 35
Bibliographie: Pierre Cabanne, "Man-
guin", Ides et Calendes, 1964, pl. n⁰ 103
Collection Lucile Manguin.

39. Fruits et pichet d'argent
1911
Huile sur toile, 54 x 65 cm. Illustré en
noir sur blanc, page 105
Signé en bas à droite: Manguin
Expositions: Galerie Druet, Paris, 1913,
n⁰ 50
"La vie silencieuse", Galerie Charpen-
tier, Paris, 1946, n⁰ 143
Collection Lucile Manguin.

40. Nature morte au tapis oriental
1912
Huile sur toile, 81 x 100 cm. Illustré en
couleurs, page 106
Signé en bas à droite: Manguin
Expositions: "Manguin", Galerie Druet,
1913, n⁰ 48
"Manguin", Musée des Beaux-Arts,
Neuchâtel, 1964, n⁰ 91, reproduit

41. Petite odalisque
1912
Huile sur toile, 88 x 116.5 cm. Illustré en
couleurs, page 107
Signé en bas à droite: Manguin
Expositions: "Manguin", Galerie Druet,
1913
"Manguin", Galerie Motte, Genève,
1958, n⁰ 59
"Manguin", Musée des Beaux-Arts,
Neuchâtel, 1964, n⁰ 75
Bibliographie: Pierre Cabanne, "Man-
guin", Ides et Calendes, 1964, pl. n⁰ 31
Ancienne collection Hahnloser
Collection Jack Josey.

42. Snow-covered Roofs, Lausanne
1915
Oil on canvas, 54 x 65 cm. Illustrated, black and white, p. 108
Signed: Manguin, lower left
Exhibitions: "Paysages d'eau douce," Galerie Charpentier, Paris, 1954
"Manguin," Musée Toulouse-Lautrec, Albi, 1957, no. 33
"Manguin," Musée des Beaux-Arts, Neuchâtel, 1964, no. 107, reproduced
"Manguin," Galerie du Théâtre, Geneva, 1969, no. 17, reproduced
"Manguin dans les collections suisses," Galerie de Paris, 1965
"Manguin," Galerie Tooth, London, 1966, no. 11
"Hommage à Manguin," Mairie de Montrouge, 1967, reproduced
"Manguin," Grenier à sel, Honfleur, 1968, no. 19, reproduced
"Manguin," Palais de la Méditerranée, Nice, 1969, no. 34, reproduced
"Manguin," Kunsthalle, Düsseldorf, 1969, no. 57
Bibliography: Pierre Cabanne, "Manguin," Ides et Calendes, 1964, no. 113
Collection of the Galerie de Paris.

43. Dream—Landscape at Colombier
1917
Oil on canvas, 54 x 65 cm. Illustrated, black and white, p. 109
Signed: Manguin, lower right
Exhibition: Salon des Indépendants, Paris, 1946, no. 2146
Lucile Manguin Collection.

44. La Serviane
1919
Oil on canvas, 33 x 41 cm. Illustrated, black and white, p. 110
Signed: Manguin, lower left
Exhibitions: "Manguin," Galerie Tooth, London, 1966, no. 18
"Hommage à Manguin," Mairie de Montrouge, 1967
Bibliography: Pierre Cabanne, "Man-

42. Toits sous la neige, Lausanne
1915
Huile sur toile, 54 x 65 cm. Illustré en noir sur blanc, page 108
Signé en bas à gauche: Manguin
Expositions: "Paysages d'eau douce", Galerie Charpentier, Paris, 1954
"Manguin", Musée Toulouse-Lautrec, Albi, 1957, n⁰ 33
"Manguin", Musée des Beaux-Arts, Neuchâtel, 1964, n⁰ 107 reproduit
"Manguin", Galerie du Théâtre, Genève, 1969, n⁰ 17, reproduit
"Manguin dans les collections suisses", Galerie de Paris, 1965
"Manguin", Galerie Tooth, Londres, 1966, n⁰ 11
"Hommage à Manguin", Mairie de Montrouge, 1967, reproduit
"Manguin", Grenier à sel, Honfleur, 1968, n⁰ 19, reproduit
"Manguin", Palais de la Méditerranée, Nice, 1969, n⁰ 34, reproduit
"Manguin", Kunsthalle, Dusseldorf, 1969, n⁰ 57
Bibliographie: Pierre Cabanne, "Manguin", Ides et Calendes, 1964, n⁰ 113
Collection Galerie de Paris.

43. Paysage de rêve à Colombier
1917
Huile sur toile, 54 x 65 cm. Illustré en noir sur blanc, page 109
Signé en bas à droite: Manguin
Exposition: Salon des Indépendants, Paris, 1946, n⁰ 2146
Collection Lucile Manguin.

44. La Serviane
1919
Huile sur toile, 33 x 41 cm. Illustré en noir sur blanc, page 110
Signé en bas à gauche: Manguin
Expositions: "Manguin", Galerie Tooth, Londres, 1966, n⁰ 18
"Hommage à Manguin", Mairie de Montrouge, 1967
Bibliographie: Pierre Cabanne, "Man-

guin," Ides et Calendes, 1964, pl. no. 132
Private Collection.

45. Honfleur
1920
Oil on canvas, 46 x 38 cm. Illustrated,
black and white, p. 111
Signed: Manguin, lower left
Exhibition: Galerie Giroux, Brussels,
1925, no. 119
Former Druet Collection
Private Collection.

46. Marseilles: the Old Harbor
1924
Oil on canvas, 54 x 73 cm. Illustrated,
color, p. 112
Signed: Manguin, lower right
Exhibitions: Galerie Giroux, Brussels,
1925, no. 150
"Manguin," Galerie Tooth, London,
1966, no. 8
"Manguin," Palais de la Méditerranée,
Nice, 1969, no. 40
Bibliography: Pierre Cabanne, "Man-
guin," Ides et Calendes, 1964, pl. no. 137
Former Druet Collection
Collection of the Galerie de Paris.

47. Marseilles: a Cloudy Day
1924
Oil on panel, 41 x 36 cm. Illustrated,
black and white, p. 113
Signed: Manguin, lower right
Exhibition: Galerie Giroux, Brussels,
1925, no. 149
Former Druet Collection
Collection of the Galerie de Paris.

48. The Orange Tablecloth
1936
Oil on canvas, 73 x 92 cm. Illustrated,
color, p. 114
Signed: Manguin, lower right
Exhibitions: "Salon d'Automne," Paris,
1936

guin", Ides et Calendes, 1964, pl. nº 132
Collection particulière.

45. Honfleur
1920
Huile sur toile, 46 x 38 cm. Illustré en
noir sur blanc, page 111
Signé en bas à gauche: Manguin
Exposition: Galerie Giroux, Bruxelles,
1925, nº 119
Ancienne collection Druet
Collection particulière.

46. Marseille, le vieux port
1924
Huile sur toile, 54 x 73 cm. Illustré en
couleurs, page 112
Signé en bas à droite: Manguin
Expositions: Galerie Giroux, Bruxelles,
1925, nº 150
"Manguin", Galerie Tooth, Londres,
1966, nº 8
"Manguin", Palais de la Méditerranée,
Nice, 1969, nº 40
Bibliographie: Pierre Cabanne, "Man-
guin", Ides et Calendes, 1964, pl. nº 137
Ancienne collection Druet
Collection Galerie de Paris.

47. Marseille, temps gris
1924
Huile sur panneau, 41 x 36 cm. Illustré
en noir sur blanc, page 113
Signé en bas à droite: Manguin
Exposition: Galerie Giroux, Bruxelles,
1925, nº 149
Ancienne collection Druet
Collection Galerie de Paris.

48. Le tapis orange
1936
Huile sur toile, 73 x 92 cm. Illustré en
couleurs, page 114
Signé en bas à droite: Manguin
Expositions: "Salon d'Automne", Paris,
1936

"Salon des Indépendants," Paris, 1942 no. 1968
"Manguin," Galerie Montmorency, Paris, 1958, no. 34
"Manguin," Galerie Motte, Geneva, 1958, no. 60
"Manguin," Galerie L. Blanc, Aix-en-Provence, 1961, no. 27
"Manguin," Musée des Beaux-Arts, Neuchâtel, 1964, no. 141
"Manguin," Château-musée de Cagnes, 1965, no. 47
"Hommage à Manguin," Mairie de Montrouge, 1964
Private Collection, Brussels.

49. Cherries and Almonds
1936
Oil on panel, 24 x 33 cm. Illustrated, color, p. 115
Signed: Manguin, lower left
Exhibitions: "Manguin," Galerie L. Blanc, Aix-en-Provence, 1961, no. 13
"Manguin," Musée des Beaux-Arts, Neuchâtel, 1964, no. 143
"Manguin," Château-musée de Cagnes, 1965, no. 48
"Manguin," Galerie du Théâtre, Geneva, 1969, no. 29, reproduced
"Manguin," Palais de la Méditerranée, Nice, 1969, no. 59
"Manguin," Kunsthalle, Düsseldorf, 1969, no. 62
"Manguin," Kunstverein, Berlin, 1970, no. 60
Bibliography: Pierre Cabanne, "Manguin," Ides et Calendes, 1964, pl. no. 34
Lucile Manguin Collection.

50. Bouquet in a Blue Vase
1941
Oil on canvas, 36 x 28 cm. Illustrated, black and white, p. 116
Signed: Manguin, lower right
Exhibitions: "Manguin," Galerie Motte, Geneva, 1958, no. 44

"Salon des Indépendants", Paris, 1942, nº 1968
"Manguin", Galerie Montmorency, Paris, 1958, nº 34
"Manguin", Galerie Motte, Genève, 1958, nº 60
"Manguin", Galerie L. Blanc, Aix-en-Provence, 1961, nº 27
"Manguin", Musée des Beaux-Arts, Neuchâtel, 1964, nº 141
"Manguin", Château-musée de Cagnes, 1965, nº 47
"Hommage à Manguin", Mairie de Montrouge, 1964
Collection particulière, Bruxelles.

49. Cerises et amandes
1936
Huile sur panneau, 24 x 33 cm. Illustré en couleurs, page 115
Signé en bas à gauche: Manguin
Expositions: "Manguin", Galerie L. Blanc, Aix-en-Provence, 1961, nº 13
"Manguin", Musée des Beaux-Arts, Neuchâtel, 1964, nº 143
"Manguin", Château-musée de Cagnes, 1965, nº 48
"Manguin", Galerie du Théâtre, Genève, 1969, nº 29, reproduit
"Manguin", Palais de la Méditerranée, Nice, 1969, nº 59
"Manguin", Kunsthalle, Dusseldorf, 1969, nº 62
"Manguin", Kunstverein, Berlin, 1970, nº 60
Bibliographie: Pierre Cabanne, "Manguin", Ides et Calendes, 1964, pl. nº 34
Collection Lucile Manguin.

50. Bouquet au vase bleu
1941
Huile sur toile, 36 x 28 cm. Illustré en noir sur blanc, page 116
Signé en bas à droite: Manguin
Expositions: "Manguin", Galerie Motte, Genève, 1958, nº 44

Manguin, "Peintures de Saint-Tropez,"
Galerie de Paris, 1960, no. 10
Lucile Manguin Collection.

51. Scallops in the Shell
1944
Oil on canvas, 33 x 41 cm. Illustrated,
black and white, p. 117
Signed: Manguin, lower left
Bibliography: Pierre Cabanne, "Man-
guin," Ides et Calendes, 1964, pl. no. 157
Private Collection.

52. Paris Beach
1902
Watercolor, 28 x 37 cm. Illustrated,
black and white, p. 121
Exhibitions: "Henri Manguin," Musée
des Beaux-Arts, Neuchâtel, 1964, no. 1.
"Manguin," Grenier à sel, Honfleur,
1968, no. 24
"Henri Manguin," Palais de la
Méditerranée, Nice, 1969, no. 6.
"Henri Manguin," Musée de la Rochelle,
1969
"Henri Manguin," Stadtische Kun-
sthalle, Düsseldorf, 1969, no. 68
"Henri Manguin," Kunstverein, Berlin,
1970, no. 65.

53. Jeanne, the Japanese
1903
Watercolor, 17 x 25 cm. Illustrated,
black and white, p. 122.

54. Flowers
1903
Watercolor, 31 x 24 cm. Illustrated,
black and white, p. 123
Exhibitions: "Manguin," Grenier à sel,
Honfleur, 1968, no. 25
"Henri Manguin," Palais de la
Méditerranée, Nice, 1969, no. 23
"Henri Manguin," Stadtische Kun-
sthalle, Düsseldorf, 1969, no. 69
"Henri Manguin," Kunstverein, Berlin,
1970, no. 66.

Manguin, "Peintures de Saint-Tropez",
Galerie de Paris, 1960, nº 10
Collection Lucile Manguin.

51. Coquilles Saint-Jacques
1944
Huile sur toile, 33 x 41 cm. Illustré en
noir sur blanc, page 117
Signé en bas à gauche: Manguin
Bibliographie: Pierre Cabanne, "Man-
guin", Ides et Calendes, 1964, nº 157
Collection particulière.

52. Paris plage
1902
Aquarelle, 28 x 37 cm. Illustré, en noir
sur blanc, page 121
Expositions: "Henri Manguin", Musée
des Beaux Arts, Neuchâtel, 1964, nº 1
"Manguin", Grenier à sel, Honfleur,
1968, nº 24
"Henri Manguin", Palais de la
Méditerranée, Nice, 1969, nº 6
"Henri Manguin", Musée de la Rochelle,
1969
"Henri Manguin", Stadtische Kun-
sthalle, Dusseldorf, 1969, nº 68
"Henri Manguin", Neuer Berliner, Kun-
stverein, 1970, nº 65.

53. Jeanne japonaise
1903
Aquarelle, 17 x 25 cm. Illustré, en noir
sur blanc, page 122.

54. Fleurs
1903
Aquarelle, 31 x 24 cm. Illustré, en noir
sur blanc, page 123
Expositions: "Manguin", Grenier à sel,
Honfleur, 1968, nº 25
"Henri Manguin", Palais de la
Méditerranée, Nice, 1969, nº 23
"Henri Manguin", Stadtische Kun-
sthalle, Dusseldorf, 1969, nº 69
"Henri Manguin", Neuer Berliner, Kun-
stverein, 1970, nº 66.

55. Sunset over the Gulf
1905
Watercolor, 15 x 19 cm. Illustrated,
black and white, p. 124.

56. Peaches and Grapes
1905
Watercolor, 36 x 47 cm. Illustrated,
black and white, p. 125
Exhibitions: "Henri Manguin," Musée
Toulouse-Lautrec, Albi, 1957, no. 61
"Henri Manguin," Aix-en-Provence,
1961, no. 52
"Gustave Moreau et ses élèves," Musée
Cantini, Marseilles, 1962
"Les maîtres de l'aquarelle au XXè
siècle de Cézanne à Picasso," Musée
Jenisch, Vevey, 1962
"Henri Manguin," Musée des Beaux-
Arts, Neuchâtel, 1964, no. 3, repro-
duced.

57. Livourne
1909
Watercolor, 17 x 24 cm. Illustrated,
black and white, p. 126
Exhibitions: "Henri Manguin," Palais de
la Méditerranée, Nice, 1969, no. 35
"Henri Manguin," Stadtische Kunsthalle, Düsseldorf, 1969, no. 75
"Henri Manguin," Kunstverein, Berlin,
1970, no. 73.

58. Saint-Tropez
1921
Watercolor, 38 x 48 cm. Illustrated,
black and white, p. 127
Exhibitions: "Henri Manguin," Musée
Toulouse-Lautrec, Albi, 1957, no. 67
"Manguin," Musée des Beaux-Arts,
Neuchâtel, 1964, no. 29
"Manguin," Grenier à sel, Honfleur,
1968, no. 32.

59. Saint-Tropez above "L'Oustalet"
1924
Watercolor, 37 x 47 cm. Illustrated,
black and white, p. 128.

55. Golfe au couchant
1905
Aquarelle, 15 x 19 cm. Illustré, en noir
sur blanc, page 124.

56. Pêches et raisins
1905
Aquarelle, 36 x 47 cm. Illustré, en noir
sur blanc, page 125
Expositions: "Henri Manguin", Musée
Toulouse-Lautrec, Albi, 1957, nº 61
"Henri Manguin", Musée d'Aix-en-
Provence, 1961, nº 52
"Gustave Moreau et ses élèves", Musée
Cantini, Marseille, 1962
"Les Maîtres de l'aquarelle au XXè
siècle de Cézanne à Picasso", Musée
Jenisch, Vevey, 1962
"Henri Manguin", Musée des Beaux
Arts, Neuchâtel, 1964, nº 3, reproduit.

57. Livourne
1909
Aquarelle, 17 x 24 cm. Illustré, en noir
sur blanc, page 126
Expositions: "Henri Manguin", Palais de
la Méditerranée, Nice, 1969, nº 35
"Henri Manguin", Stadtische Kunsthalle, Dusseldorf, 1969, nº 75
"Henri Manguin", Neuer Berliner, Kunstverein, 1970, nº 73.

58. Saint-Tropez
1921
Aquarelle, 38 x 48 cm. Illustré, en noir
sur blanc, page 127
Expositions: "Henri Manguin", Musée
Toulouse-Lautrec, Albi, 1957, nº 67
"Manguin", Musée des Beaux Arts,
Neuchâtel, 1964, nº 29
"Manguin", Grenier à sel, Honfleur,
1968, nº 32.

59. Saint-Tropez au dessus de l'Oustalet
1924
Aquarelle, 37 x 47 cm. Illustré, en noir
sur blanc, page 128.

60. Spring Landscape
1927
Watercolor, 25 x 35 cm. Illustrated,
black and white, p. 129.

61. Concarneau
1933
Watercolor, 24 x 36 cm. Illustrated,
black and white, p. 130
Exhibition: "Henri Manguin," Grenier à
sel, Honfleur, 1968, no. 33.

62. Street-singers
1896
Pastel, 24 x 27 cm. Illustrated, black and
white, p. 135.

63. Jeanne
1900
Drawing, 29 x 22 cm. Illustrated, black
and white, p. 136.

64. Woman and Child
1901
Drawing, 27 x 21 cm. Illustrated, black
and white, p. 137.

65. Woman Wearing Black Stockings
1901
Drawing, 24 x 16 cm. Illustrated, black
and white, p. 138.

66. Woman Lying Down
1903
Drawing, 31 x 48 cm. Illustrated, black
and white, p. 139.

67. Nude with Black Stockings
1903
Drawing, 28 x 22 cm. Illustrated, black
and white, p. 140
Exhibitions: "Henri Manguin," Musée
des Beaux-Arts, Neuchâtel, 1964, no. 7
"Manguin," Grenier à sel, Honfleur,
1968, no. 35

60. Paysage au printemps
1927
Aquarelle, 25 x 35 cm. Illustré, en noir
sur blanc, page 129.

61. Concarneau
1933
Aquarelle, 24 x 36 cm. Illustré, en noir
sur blanc, page 130
Exposition: "Henri Manguin", Grenier à
sel, Honfleur, 1968, n° 33.

62. Les chanteurs des rues
1896
Pastel, 24 x 27 cm. Illustré, en noir sur
blanc, page 135.

63. Jeanne
1900
Dessin, 29 x 22 cm. Illustré, en noir sur
blanc, page 136.

64. La femme et l'enfant
1901
Dessin, 27 x 21 cm. Illustré, en noir sur
blanc, page 137.

65. La femme aux bas noirs
1901
Dessin, 24 x 16 cm. Illustré, en noir sur
blanc, page 138.

66. Femme allongée
1903
Dessin, 31 x 48 cm. Illustré, en noir sur
blanc, page 139.

67. Nue aux bas noirs
1903
Dessin, 28 x 22 cm. Illustré, en noir sur
blanc, page 140
Expositions: "Henri Manguin", Musée
des Beaux Arts, Neuchâtel, 1964, n° 7
"Manguin", Grenier à sel, Honfleur,
1968, n° 35

"Henri Manguin," Palais de la Méditerranée, Nice, 1969, no. 2
"Henri Manguin," Stadtische Kunsthalle, Düsseldorf, 1969, no. 81
"Henri Manguin," Kunstverein, Berlin, 1970, no. 82.

68. Child and Donkey
1903
Drawing, 23 x 32 cm. Illustrated, black and white, p. 141
Exhibitions: "Henri Manguin," Musée des Beaux-Arts, Neuchâtel, 1964, no. 3
"Henri Manguin," Palais de la Méditerranée, Nice, 1969, no. 1
"Henri Manguin," Stadtische Kunsthalle, Düsseldorf, 1969, no. 79
"Henri Manguin," Kunstverein, Berlin, 1970, no. 80.

69. Model Dressing
circa 1904
Drawing, 27 x 21 cm. Illustrated, black and white, p. 142.

70. Nude in Fountain
1905
Drawing in red chalk and crayon, 27 x 21 cm. Illustrated, black and white, p. 143.

71. Portrait of Jeanne Manguin
1905
Drawing, 27 x 21 cm. Illustrated, black and white, p. 144.

72. Seated Baby
1905
Drawing, 27 x 21 cm. Illustrated, black and white, p. 145.

73. The Coiffure
1905
Drawing, 73 x 55 cm. Illustrated, black and white, p. 146
Exhibition: "Henri Manguin," Musée des Beaux-Arts, Neuchâtel, 1964, no. 11.

"Henri Manguin", Palais de la Méditerranée, Nice, 1969, nº 2
"Henri Manguin", Stadtische Kunsthalle, Dusseldorf, 1969, nº 81
"Henri Manguin", Neuer Berliner, Kunstverein, 1970, nº 82.

68. L'enfant et l'âne
1903
Dessin, 23 x 32 cm. Illustré, en noir sur blanc, page 141
Expositions: "Henri Manguin", Musée des Beaux Arts, Neuchâtel, 1964, nº 3
"Henri Manguin", Palais de la Méditerranée, Nice, 1969, nº 1
"Henri Manguin", Stadtische Kunsthalle, Dusseldorf, 1969, nº 79
"Henri Manguin", Neuer Berliner, Kunstverein, 1970, nº 80.

69. Modèle s'habillant
vers 1904
Dessin, 27 x 21 cm. Illustré, en noir sur blanc, page 142.

70. Nue au bassin
1905
Dessin en craie rouge et crayon, 27 x 21 cm. Illustré, en noir sur blanc, page 143.

71. Portrait de Jeanne Manguin
1905
Dessin, 27 x 21 cm. Illustré, en noir sur blanc, page 144.

72. Bébé assis
1905
Dessin, 27 x 21 cm. Illustré, en noir sur blanc, page 145.

73. La coiffure
1905
Dessin, 73 x 55 cm. Illustré, en noir sur blanc, page 146
Exposition: "Henri Manguin", Musée des Beaux Arts, Neuchâtel, 1964, nº 11.

74. Self-portrait
Undated
Drawing, 14 x 10 cm. Illustrated, black
and white, p. 147.

75. Portrait of Lucile Manguin
1906
Drawing in red chalk and crayon, 21 x 16
cm. Illustrated, black and white, p. 148.

76. Woman and Little Boy
1906
Drawing, 27 x 21 cm. Illustrated, black
and white, p. 149.

77. Bathers at Cavalière
1906
Drawing, 38 x 50 cm. Illustrated, black
and white, p. 150
Exhibitions: "Henri Manguin," Musée
des Beaux-Arts, Neuchâtel, 1964, no. 21
"Henri Manguin," Palais de la
Méditerranée, Nice, 1969, no. 28
"Henri Manguin," Stadtische Kun-
sthalle, Düsseldorf, 1969, no. 82
"Henri Manguin," Kunstverein, Berlin,
1970, no. 83.

78. Nude on a Couch
1923
Drawing, 21 x 27 cm. Illustrated, black
and white, p. 151.

79. On the Beach
1924
Drawing, 25 x 17 cm. Illustrated, black
and white, p. 152.

80. Women Bathing
1927
Drawing, 27 x 20 cm. Illustrated, black
and white, p. 153
Exhibitions: "Henri Manguin," Musée
des Beaux-Arts, Neuchâtel, 1964, no. 34
"Henri Manguin," Stadtische Kunsthalle, Düsseldorf, 1969, no. 83

74. Autoportrait
Non daté
Dessin, 14 x 10 cm. Illustré, en noir sur
blanc, page 147.

75. Portrait de Lucile Manguin
1906
Dessin en craie rouge et crayon, 21 x 16
cm. Illustré, en noir sur blanc, page 148.

76. La femme et le petit garçon
1906
Dessin, 27 x 21 cm. Illustré, en noir sur
blanc, page 149.

77. Les baigneurs à Cavalière
1906
Dessin, 38 x 50 cm. Illustré, en noir sur
blanc, page 150
Expositions: "Henri Manguin", Musée
des Beaux Arts, Neuchâtel, 1964, n° 21
"Henri Manguin", Palais de la
Méditerranée, Nice, 1969, n° 28
"Henri Manguin", Stadtische Kun-
sthalle, Dusseldorf, 1969, n° 82
"Henri Manguin", Neuer Berliner, Kun-
stverein, 1970, n° 83.

78. Nue au canapé
1923
Dessin, 21 x 27 cm. Illustré, en noir sur
blanc, page 151.

79. Sur la plage
1924
Dessin, 25 x 17 cm. Illustré, en noir sur
blanc, page 152.

80. Les baigneuses
1927
Dessin, 27 x 20 cm. Illustré, en noir sur
blanc, page 153
Expositions: "Henri Manguin", Musée
des Beaux Arts, Neuchâtel, 1964, n° 34
"Henri Manguin", Stadtische Kunsthalle, Dusseldorf, 1969, n° 83

"Henri Manguin," Kunstverein, Berlin, 1970, no. 90, reproduced.

81. Back View of Odette
1929
Drawing, 19 x 22 cm. Illustrated, black and white, p. 154
Exhibition: "Henri Manguin," Musée des Beaux-Arts, Neuchâtel, 1964, no. 38.

"Henri Manguin", Neuer Berliner, Kunstverein, 1970, n° 90, reproduit.

81. Odette de dos
1929
Dessin, 19 x 22 cm. Illustré, en noir sur blanc, page 154
Exposition: "Henri Manguin", Musée des Beaux Arts, Neuchâtel, 1964, n° 38.

Biography
Biographie

1874	Henri Manguin was born March 23 in Paris at 21, rue de Dunkerque; his father was from Chartres, his mother Parisian.	1874	Henri Manguin est né le 23 mars à Paris, 21, rue de Dunkerque; son père est de Chartres, sa mère parisienne.
1880	Manguin's father dies and Manguin remains with his mother and sister. His father had left the boy a small inheritance.	1880	Manguin perd son père et reste donc, tout jeune, seul avec sa mère et sa sœur. Son père lui laisse un petit héritage.
1890	Manguin abandons his studies at the Lycée Colbert, with no objections from his mother, to devote himself exclusively to painting.	1890	Manguin abandonne ses études au Lycée Colbert, sans objection de sa mère, pour se livrer exclusivement à la peinture.
1894	Manguin enters The School of Fine Arts (L'Ecole des Beaux-Arts) in the class of Gustave Moreau where he becomes friends with Marquet, Matisse, Jean Puy, Rouault and De Mathan.	1894	Manguin entre à l'Ecole des Beaux-Arts dans la classe de Gustave Moreau où il se lie d'amitié avec Marquet, Matisse, Jean Puy, Rouault et De Mathan.
1896	Under the influence of De Mathan, Manguin spends some time at la Percaillerie, near Cherbourg, where he meets Jeanne Carette, his future wife.	1896	Manguin séjourne, entraîné par De Mathan, à La Percaillerie, près de Cherbourg, où il rencontre Jeanne Carette, sa future femme.
1899	On June 28, Manguin is wed to the woman whose image is so often found in his works. He sets up his studio in Paris at 61, rue Boursault, where he later works in common with Marquet, Matisse and Puy.	1899	Manguin épouse le 28 juin celle dont on retrouve si souvent les portraits dans ses œuvres. Manguin installe son atelier à Paris, 61, rue Boursault, où il travaillera en commun avec Marquet, Matisse et Puy.
1900	Manguin exhibits for the first time at the Weill Gallery, then at the Société Nationale.	1900	Manguin expose pour la première fois à la Galerie Weill, puis à la Société Nationale.
1902	Manguin exhibits in the Salon des Indépendants and becomes a member of the committee for about ten years.	1902	Manguin expose au Salon des Indépendants et fait partie du comité pendant une dizaine d'années.
1903	Manguin's paintings are shown in the first Salon d'Automne at the moment of its founding.	1903	Manguin expose au premier Salon d'Automne, dès sa fondation.
1905	An associate of the Salon d'Automne, he there exhibits five paintings in the room where he and his friends were later to be called for the first time "les Fauves." Manguin discovers Provence at Saint-Tropez. Captivated by the Mediterranean light, he settles in the pines, above the village, at the Demière Villa.	1905	Sociétaire du Salon d'Automne, il y expose cinq toiles dans la salle où lui et ses amis se feront appeler pour la première fois "les Fauves". Manguin découvre la Provence à Saint-Tropez, séduit par la lumière méditerranéenne, il s'installe dans les pins, au-dessus du village, à la villa Demière.

1906	A private exhibition under the auspices of Druet. He stays temporarily in Cavalière where he meets Cross and Van Rysselberghe.	1906	Exposition particulière chez Druet. Séjour à Cavalière où il rencontre Cross et Van Rysselberghe.
1907	Manguin returns to Saint-Tropez where he remains until 1910.	1907	Manguin revient à Saint-Tropez jusqu'en 1910.
1908	Manguin works at the Académie Ranson, where he again joins Albert Marquet and Francis Jourdain.	1908	Manguin travaille à l'Académie Ranson, où il retrouve Albert Marquet et Francis Jourdain.
1909	Manguin makes a journey to Naples with his family and Marquet. He there does drawings and water-colors. His stay there was of short duration.	1909	Manguin fait un voyage à Naples avec sa famille et Marquet. Il fait des dessins et aquarelles. Son séjour fut de brève durée.
1910	While on a trip to Honfleur, Manguin makes the acquaintance of the Swiss collectors M. & Mme. Arthur Hahnloser through Félix Vallotton; he then goes to Switzerland for several weeks where he meets the Sulzers and the Reinhardts.	1910	Au cours d'un séjour à Honfleur, Manguin fait la connaissance, par l'intermédiaire de Félix Vallotton, des collectionneurs suisses M. et Mme. Arthur Hahnloser, puis il séjourne quelques semaines en Suisse où il fait la connaissance des Sulzer et de Reinhardt.
1911	Manguin stays a whole summer in Sanary.	1911	Manguin se fixe pour un été à Sanary.
1915–1918	Manguin lives in Lausanne and paints during the summers of 1917 and 1918 at Colombier, near Neuchâtel.	1915à 1918	Manguin habite Lausanne et peint pendant les étés, 1917 et 1918, à Colombier près de Neuchâtel.
1920	Manguin returns to "his" Provence and settles in "l'Oustalet" at Saint-Tropez. In the years that follow, he divides his time between Paris and Provence, which does not prevent his taking long working trips.	1920	Manguin retrouve "sa" Provence et s'installe à "l'Oustalet" à Saint-Tropez. Il partage ses années entre Paris et la Provence, ce qui ne l'empêche pas de faire de longs séjours de travail.
1920–1948	Traveled extensively in France.	1920à 1948	Manguin a beaucoup voyagé en France.
1940	Manguin flees the German occupation; he goes to live in Avignon, rue de la Banasterie, and keeps for the rest of his life the charming studio where he comes each year to work.	1940	Manguin fuit l'occupation; il s'installe en Avignon, rue de la Banasterie, et gardera toute sa vie ce charmant atelier où il viendra travailler chaque année.
1949	Manguin leaves Paris once and for all, finding it too tiring, and on the 9th of August moves into "l'Oustalet" at Saint-Tropez; on September 25, after a very brief illness, Henri Manguin died, leaving on his easel an unfinished still life.	1949	Manguin quitte définitivement Paris qui le fatigue, pour se fixer le 9 août à "l'Oustalet" à Saint-Tropez; mais, après une très brève maladie, Henri Manguin s'éteint le 25 Septembre, laissant sur son chevalet une nature morte inachevée.

Acknowledgments
Remerciements

On behalf of the Board of Regents of the Universities of Arizona and Dr. John Schaefer, President of the University of Arizona, I wish to extend grateful acknowledgment to Pierre Cabanne, French art critic and historian, and Mr. Denys Sutton, Editor of Apollo Magazine, the two writers who have done the most in recent years to estimate and to reveal Manguin's contribution to the art of our time. Without their researches and their accounts, this study could not have been made. Each of them has generously assisted me in a number of ways.

I am especially grateful to Madame Lucile Marinais-Manguin, daughter of Henri Manguin, who has been so generous with her time and cherished possessions in giving and lending so freely. She was prompted, I believe, by the desire to share her father's works with others, and especially with young people, the kind of happiness that can be drawn from this most luminous performance.

Simply stated, many of us have felt the challenge of this exhibition. We wanted it to be resplendent. We wanted Manguin to stand forth in his own light; only the best of Henri Manguin, we believed, would be sufficient tribute to him, and this we have tried to assemble. Our goal was to have as large an audience as possible see something so admirable, achieved in a cumulative way in this last half century. Working closely with Madame Manguin, and her staff at the Galerie de Paris, has been the greatest help in the preparation of this catalogue. In this first American showing of Henri Manguin's paintings, illustrations cover the period from 1896 to 1944. They are presented to give a sampling of the artist's œuvre throughout his life rather than to present a catalogue raisonné.

I am grateful also to Mr. George Gregson of Beverly Hills, and to Mr. Jack Josey of Houston, for their kindness in loaning their Manguin paintings for this exhibition and for

De la part du Conseil d'Administration des Universités de l'Etat Arizona et de Monsieur le Président John Schaefer de l'Université d'Arizona, je me permets de rendre à M. Pierre Cabanne, critique de l'art historien français, ainsi qu'à M. Denys Sutton, éditeur de la revue *Apollon*, nos vifs remerciements. Ces deux écrivains ont accompli le plus, tout dernièrement en estimant et en révélant les dons de Manguin à l'art d'aujourd'hui. Sans leurs recherches et leurs récits, cette étude n'aurait jamais été présentée. Chaqu'un m'a généreusement assisté à bien des égards.

Je suis surtout reconnaissant du concours de Madame Lucile Martinais—Manguin, la fille de Henri Manguin, qui si généreusement nous a offert de son temps et nous a tellement aidés en nous prêtant de ses trésors précieux. Je suis convaincu qu'elle fut inspirée par le désir d'ouvrir à la participation générale les œuvres de son père, en particulier à l'égard des jeunes personnes, et le bonheur que l'on peut tirer de cette représentation si lumineuse.

Tout simplement, nous sommes bien sensibles à l'incitation de cette exposition. Nous avons voulu qu'elle soit éblouissante. Nous avons voulus que Henri Manguin s'illumine lui-même; il n'y a que le plus beau de Henri Manguin, nous avons tenus, qui serait un hommage digne de lui payer, et c'est bien ceci que nous avons voulu assembler. Il était notre but de permettre autant de monde que possible d'observer ce qui est tellement admirable, et qui fut accompli par accumulation pendant le demi-siècle passé. En travaillant en concert avec Madame Manguin et son personnel à la Galerie de Paris, nous avons reçu de l'aide épatante en préparant ce catalogue-ci. Dans cette première exposition en Amérique des tableaux de Henri Manguin, les illustrations comprennent les années 1896 jusqu'à 1944. Elles sont présentées pour offrir des exemples de l'œuvre de l'artiste pendant toute sa

many other courtesies; and to the many museum directors in this country, who took time to answer a question regarding Manguin's in their vicinity.

Our sincere thanks and appreciation are also extended to the following persons whose graciousness, and cooperation greatly facilitated our undertaking:

Mario Amaya, Director, New York Cultural Center

Gerald Nordland, Director, University of California at Los Angeles Art Galleries

William D. Paul, Jr., Director, The Georgia Museum of Art

John Palmer Leeper, Director, Marion Koogler McNay Art Institute

Dr. Martin H. Bush, Assistant Vice President for Academic Resources Development, Wichita State University

Mr. Thomas T. Solley, Director, Indiana University Art Museum

Finally, I wish to thank my Assistant Director, Mr. Jeffrey Mitchell, who designed and supervised the production of this catalogue, and Mrs. Dorothy Moreton, for her brilliant translation of both Mr. Denys Sutton's article and my essay into French.

vie, plutôt que de présenter un catalogue raisonné.

Je veux bien également remercier M. George Gregson de Beverly Hills, et M. Jack Josey de Houston, de leur amabilité en nous prêtant leurs tableaux de Manguin pour cette exposition, et puis de leurs autres concours si aimables; ensuite, je suis reconnaissant à tous les directeurs de musées des Etats-Unis, qui se sont mis à répondre aux questions au sujet des tableaux de Manguin qui se trouvaient peutêtre dans leurs voisinages.

Nos remerciements et notre reconnaissance sont offerts aussi aux individus suivants; leurs conseils bienveillants ainsi que leur coopération ont rendu beaucoup plus facile notre entreprise:

Mario Amaya, Director, New York Cultural Center

Gerald Nordland, Director, University of California at Los Angeles Art Galleries

William D. Paul, Jr., Director, The Georgia Museum of Art

John Palmer Leeper, Director, Marion Koogler McNay Art Institute
Dr. Martin H. Bush, Assistant Vice President for Academic Resources Development, Wichita State University

Mr. Thomas T. Solley, Director, Indiana University Art Museum

Enfin je voudrais bien remercier mon directeur auxiliaire, M. Jeffrey Mitchell, qui a déssiné et aussi a surveillé la production de ce catalogue, ainsi que Madame Dorothy Moreton, de ses traductions excellentes en français, celle de l'article de M. Denys Sutton et puis celle de mon essai.

Bibliography
Bibliographie

"Today's Art"	Ch. Malpel, 1910
"Young French Painting"	A. Salomon, 1912
"The Cubists"	G. Coquiot, 1914
"Encyclopedia of Artists"	Thieme-Becker, XXIV/16, 1930
French Painting: the Contemporaries	René Huyghe, Bibliothèque des Arts, Paris, 1939
French Painting of the Twentieth Century	Charles Terrasse, Hyperion Editions, Paris, 1939
The Fauves	Georges Duthuit, Editions des Trois Collines, Geneva, 1949
The Still Life from Antiquity to the Present Day	Charles Sterling, Editions Pierre Tisné, 1952
"Encyclopedia of Artists"	Vollmer, III/313, 1956
Painters of the 20th Century	Bernard Dorival, Editions Pierre Tisné, 1957
Fauvism	Jean Leymarie, Editions Skira, 1959
"School of Paris: The Painters and Artistic Climate of Paris Since 1910"	Raymond Nacenta, New York Graphic Society, 1960
Fauvism	Gotthard Jedlicka, Editions Buchergilde Gutenberg, Zurich, 1961
The Fauves	Jean-Pierre Crespelle, Editions Ides et Calendes, Neuchâtel, 1962
The Fauves and Their Times	Charles Chassé, Bibliothèque des Arts, Paris, 1963
"Painting of the 20th Century"	W. Haftman, Munich, 1965 (S. 557)
"Encyclopedia of Painting"	Kindler, Zurich, IV/282, 1967
"Encyclopedia of Artists"	Ullstein, 1967/393
Fauvism	J. E. Muller, Thames and Hudson Editions, London, 1967
The Dawn of the Twentieth Century	Editions du Petit Palais, Geneva, 1968
Modern Art and the World	René Huyghe and Jean Rudel, Editions Larousse, Paris, 1970
The Fauves	Gaston Diehl, Nouvelles Editions Françaises, Paris, 1971

Monographs:

"In Praise of Henri Manguin"	Charles Terrasse, Editions Manuel Bruker, 1954
"Henri Manguin"	Pierre Cabanne, Editions Ides et Calendes, 1964

Periodicals:

L'Illustration	November, 1905
Gazette des Beaux-Arts	1907 and 1909
Revue Prague	April, 1910
L'Art et les Artistes	January, 1924
L'Art d'aujourd'hui	1929
La Revue des Arts	1957

Chefs-dœuvre de l'Art   no. 128
Gazette des Beaux-Arts,   May, 1963
"Gustave Moreau, professor at
l'Ecole des Beaux-Arts"
Miroir de l'Histoire   August, 1965, no. 188
La Galerie des Arts   1969, no. 68
Connaissance des Arts   November, 1969, no. 213
Connaissance des Arts   May, 1971

Exhibition Catalogues

"Henri Manguin—1874–1949"   New Art Association of Berlin
First Retrospective Exhibition in Germany
3 April to 3 May, 1970
Formerly Gallery of the XX Century

"The Painters of Saint-Tropez"
Galerie des Ponchettes
NICE—0600
December 23rd, 1972-February 25th, 1973

"The Self-Portrait from the XVII Century
to the Present Day"
Musée des Beaux-Arts
PAU—6400
April and May, 1973

"The Painter and his Palette"
Exhibition organized by the Wildenstein
Foundation for the benefit of the Foundation
for French Medical Research
1973–1974
"Gustave Moreau and his Students"
Okayama—Hiroshima—Tokyo
JAPAN
1974

"L'Art aujourd'hui"   Ch. Malpel, 1910
"La jeune peinture française"   A. Salomon, 1912
"Cubistes"   G. Coquoit, 1914
"Encyclopédie des Artistes"   Thieme-Becker, XXIV/16, 1930
"La Peinture française, les   René Huyghe, Bibliothèque des Arts, Paris,
contemporains"   1939
"La Peinture française au XXème   Charles Terrasse, Editions Hyperion, Paris,
siècle"   1939
"Les Fauves"   Georges Duthuit, Editions des Trois
                                                     Collines, Genève, 1949
"La nature morte de l'Antiquité   Charles Sterling, Editions Pierre Tisné, 1952
à nos jours"
"Encyclopédie des Artistes"   Vollmer, III/313, 1956
"Les Peintres du XXème siècle"   Bernard Dorival, Editions Pierre Tisné, 1957
"Le Fauvisme"   Jean Leymarie, Editions Skira, 1959
"L'Ecole de Paris: Les peintres   Raymond Nacenta, Société graphique de
et le climat artistique de Paris   New York, 1960
depuis 1910"
"Der Fauvismus"   Gotthard Jedlicka, Editions Buchergilde
                                                     Gutenberg, Zurich, 1961
"Les Fauves"   Jean Pierre Crespelle, Editions Ides et
                                                     Calendes, Neuchâtel, 1962
"Les Fauves et leur temps"   Charles Chassé, Bibliothèque des Arts,
                                                     Paris,
                                                     1963
"Peinture du XXème siècle"   W. Haftmann, Munich, 1965 (S. 557)
"Encyclopédie de la Peinture"   Kindler, Zurich, IV/282, 1967
"Encyclopédie des Artistes"   Ullstein, 1967/393
"Fauvism"   J. E. Muller, Editions Thames et Hudson,
                                                     Londres, 1967
"L'aube du XXème siècle"   Editions du Petit Palais, Genève, 1968
"L'Art moderne et le Monde"   René Huyghe et Jean Rudel, Editions
                                                     Larousse, Paris, 1970
"Les Fauves"   Gaston Diehl, Nouvelles Editions
                                                     Françaises, Paris, 1971

Monographies:
"Eloge de Henri Manguin"   Charles Terrasse, Editions Manuel Bruker,
                                                     1954
"Henri Manguin"   Pierre Cabanne, Editions Ides et Calendes,
                                                     1964

Periodiques:
L'Illustration   Novembre 1905
Gazette des Beaux-Arts   1907 et 1909
Revue Prague   Avril 1910
L'Art et les Artistes   Janvier 1924
L'Art d'aujourd'hui   1929

La Revue des Arts   1957
Chefs d'œuvre de l'Art   N⁰128
Gazette des Beaux-Arts   Mai 1963
"Gustave Moreau professeur
à l'Ecole des Beaux-Arts"
Miroir de l'Histoire   N⁰ 188 Août 1965
La Galerie des Arts   1969—n⁰ 68
Connaissance des Arts   n⁰ 213 Novembre 1969
Connaissance des Arts   Mai 1971

Catalogues d'Expositions

'Henri Manguin—1874–1949"   Nouvelle Association de l'Art de Berlin
Première Exposition Rétrospective en Al-
lemagne
3ᵉ Avril au 3ᵉ Mai, 1970
Autrefois Galerie du XX Siècle

"Les Peintres de Saint-Tropez"
Galerie des Ponchettes
NICE—0600
23 Dcembre 1972-25 Février 1973

"L'Autoportrait du XVIIème Siècle à Nos
Jours"
Musée des Beaux-Arts
PAU—6400
Avril et Mai 1973

"Le Peintre et sa Palette"
Exposition organisée par la Fondation Wildenstein au profit de la Fondation pour la
recherche médicale française
1973–1974

"Gustave Moreau et ses Élèves"
Okayama—Hiroshima—Tokyo
JAPON
1974

Book design by Jeffrey Mitchell
Type set by Tucson Typographic Service
Printed by Shandling Lithographing Co., Inc.

214